小説
弱虫ペダル
よわむし
JN244804
13
原作
渡辺航
ノベライズ
輔老心
岩崎書店

弱虫ペダル⑬ 目次

登場人物（とうじょうじんぶつ）

小野田坂道（おのださかみち）

ママチャリで往復九十キロの秋葉原への道のりを毎週欠かさず通う高校一年生。自転車に自分の可能性があるなら、と千葉県一強い自転車競技部に入部する。

今泉俊輔（いまいずみしゅんすけ）

自転車競技に命をかける、毎日ストイックに走り続ける高校一年生。中学時代は県内でも有名なレーサーだった。坂道の走りに関心を持っている。

鳴子章吉（なるこしょうきち）

自転車と友だちを大事にする関西出身のレーサー。浪速のスピードマンの異名を持つ高校一年生。坂道のよきアドバイザーでもある。

総北高校自転車競技部（そうほくこうこうじてんしゃきょうぎぶ） 三年生

主将（しゅしょう）
金城真護（きんじょうしんご）

田所 迅（たどころ じん）

巻島裕介（まきしまゆうすけ）

箱根学園自転車部（はこねがくえんじてんしゃぶ）

主将（しゅしょう）
福富寿一（ふくとみじゅいち）

新開隼人（しんかいはやと）

真波山岳（まなみさんがく）

泉田塔一郎（いずみだとういちろう）

東堂尽八（とうどうじんぱち）

荒北靖友（あらきたやすとも）

京都伏見高等学校（きょうとふしみこうとうがっこう）

御堂筋 翔（みどうすじ あきら）

石垣光太郎（いしがきこうたろう）

前回までのあらすじ

全国の高校自転車部が栄かんをめざすインターハイ。レースはいよいよ最終日、三日目を走行中。インターハイ連覇をめざす神奈川県代表・箱根学園は「セレクション作戦」を実行した。一人ずつメンバーをへらしていき、身軽になって先頭を快走する。一方、念願の優勝をめざす千葉県代表の総北高校は六人のメンバー全員の力と意思を合わせるスタイルで追いすがっていた。山中湖に入ると、箱根学園がしかけ、一気にはなされる総北。箱根学園は山の勝負に持ちこむ前に、平坦道で決着をつけて総北をあきらめさせる作戦だった。ここで総北は一年生たちが〝ダブル引き〟で追走。田所の身をけずる好走もあって、なんとか首の皮一枚のところまで追いつく……が、しかし、いざ最後の勝負どころ、最終ゴールのある富士山五合目への上り坂が始まる直前で、主将でエースの金城がひざのいたみでリタイアしてしまった。優勝への青写真が全部くずれた総北に、もうチャンスは来ないのか――!!

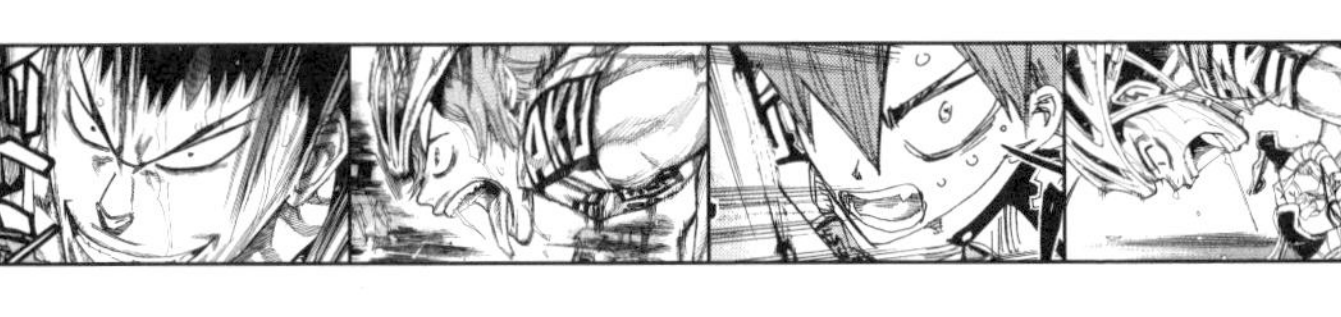

はじまる前に

この巻では、インターハイの三日目のレースが半分以上すぎて、山中湖からゴールのある富士山に向かっていく路上から始まります。本作での自転車の高校日本一を決めるインターハイの流れは、

・三日間かけて行われる。
・毎日、朝にスタートして、夕方前にゴールする。
・一日目は、江ノ島から百二十台がいっせいにスタート。
・次の日からは、前日のタイム差の順に、秒数をあけてスタート。
・とちゅうでこけて、ケガをして走れなくなったらリタイアになる。
・三日目の最後のゴールでトップだった学校が総合優勝。
・ゴールをねらうのは、各チームの最強選手「エース」。

これらを頭のかたすみにおいておけば、インターハイがより楽しめるよ。

本書は、秋田書店刊の『弱虫ペダル』をもとに小説化したものです。文章化するにあたり、台詞など一部改めています。

第一章

開幕（かいまく）、鳴子劇場（なるこげきじょう）

引きはなす箱根学園

「総北は、金城がいない！」

〝山神〟がペダルをふみながらさけんだ。
今、トップを走る箱根学園の選手たちも、二位を走る総北高校の異変に気づいていた。

レースはなにが起こるかわからない。

山神とあだ名される、箱根学園の東堂尽八が先頭を切って、国道138号線を走っている。
コースは、富士山の裾野の山岳ゾーンに入ってきた。籠坂峠に向かう登り坂だ。さっき

までの平坦道から、いきなり急な登り坂になってきた。どんどん標高を上げていく。

箱根学園の選手は三人。でんとうのブルージャージを着ている。木かげに入ると、そのブルーの色が少しこく、より強そうに見えた。

※箱根学園はばっちりと作戦がうまくいって、二位総北との差をしっかりと広げている。常勝王者はレースの経験が豊富で、レースのかんどころを知っている。だから、ここではなされてはマズイ、というポイントで、出力をあげることができる。強さのひみつだ。

ブルージャージの選手たちが、コースわきからがけ下のほうにチラリと目をやった。とおく向こうの道を、黄色いジャージが追いかけてくるのがチラリと見えた。

そのあたりから、「ワァーーーーーー」と歓声が起きているのがわかった。

※常勝王者…負けしらずで、ずっと勝っている強いチャンピオン

それに反応して、一年の真波山岳が、

「総北、来てます!!　福富さん！」

とつげた。

「まだ、あきらめてはいないようですね」

だが……？

エースの福富寿一も、ちらりとそちらを見やった。たしかに黄色いジャージのいちだんがうごめいているのが目に入ったが、そこに総北のキャプテン・金城真護のすがたがない。

福富は軽く首をふると、

「〝エース金城の不調〟――。三日間闘って、ボロボロになった総北は、なすすべなく最後の山に向けて、〝巻島一人をアタックに出す〟作戦――とそうぞうしていたが――まさか……だな」

とつぶやいた。

四台分の黄色いかげは、まだまだとおくに見えた。

田所迅、金城真護の二枚看板を失った総北に残ったカードは、三年生はクライマーの巻島裕介一人。あとは、入部して数か月の一年生が三人、ひっしでくっついている。

福富は、

「エースが自らをすて、インターハイの経験がない〝一年生〟を、このもっとも重要なラストステージの、最終局面に送りこむとは‼　それが……おまえがえらんだチームの形か‼　金城‼」

そう言って、グッとおく歯をかんだ。

レースはなにが起こるかわからない。レースにリタイアはつきものだ、とも言える。

しかし……福富と金城のライバル関係に予想外の形でピリオドが打たれた。

……とはいえ……。

福富は少しざんねんな気持ちがした。

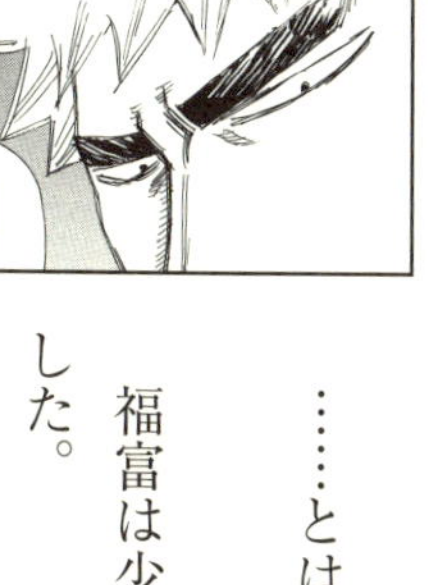

この三年にわたり、選手同士として、リーダー同士として、数々の名勝負をつみあげた二人だ。しかし、大一番の三年生最後のレース、インターハイは、ゴール前で闘わずして終わることになったのである。

「ふっ」

福富は気分を切りかえるようにみじかく息をはいた。

そんな思いにひたっている場合ではない。自分の役割は、いかに箱根学園を勝たせるか、そのためにどんな走りをすればいいのか、計画して走ることだ。

金城もきっとそうだったろう。そんな金城の計画に、〝自分のリタイア〟は入っていたのだろうか、と問いたい、と思ったのだった。

福富の目には、すぐ前を走る〝天性の才能を持つ〟クライマー真波のゼッケン6番の背中と、その前を走る〝山神〟クライマーの東堂のゼッケン3番の背中がゆれるのが見えた。

この二人のクライマーとゼッケン1番＝エースの自分。これが、今年の、うちの最終アタック部隊。ここまでの箱根学園は、かんぺきな優勝プランで進んでいる。

仕事を終えたスプリンター

同じころ――。

ハァ　ハァ　ハァ　ハァ　ハァ　ハァ

同じくブルージャージを着たゼッケン4番、箱根学園の新開隼人がペダルをふんでいた。まだ山岳区間の入口にたどり着いていない。白鳥の形をした大きな遊覧船がうかぶ山中湖畔ぞいの道路をこいでいた。

すでに山のコースを走っている先頭からは大きくおくれている。

箱根学園史上に残る最速スプリンター・新開は、三日目の「スプリントリザルト」（区間賞）を取ったあと、メンバーから切りはなされた。

彼の役目は、チームをきっちりと引っぱって、山中湖畔を走っている間に、二位の総北高校をはなすことだった。そして、トップで福富たちを山に送りこむことだった。それをはたし、今、マイペースで走っているのだった。

湖からふいてくる風がほおにあたって心地よかった。

残りはクライマーたちの出番だ。

「あとはまかせたぞ、東堂、真波、そして、福富！」

満足感を味わいながら、新開はゆったりとしたペースでペダルをこいでいた。このペースでゴールをめざす。

さっきまでは行く手をさえぎる、ぶあついかべに思えていたにっくき風が、今では、さわやかな高原の友だちに思えた。

ふいに、

「総北はしつこいですよ」

と、いつだったか総北の一年、今泉俊輔が言った言葉を思い返した。

たしかに、今回のインターハイは、まれにみる激戦のレースだ。

新開が何度アタックして引きはがそうとしても、総北はひっしでついてきた。今泉がしつこく、ついてきた。しかし、今げんざい、総北は金城のリタイアでチームがばらけて、箱根学園との差がじょじょに開いていきている。

ゴールまでは残り約二十キロ。

ここからは見えないが、ようやく総北をふりほどけただろうか。

いや、総北はまた息をふき返してくるのか……。

たしかにそのとおりだな、今泉クン。
まさか、チームが終わりそうになったとき
あんな手で最後の山にいどむとは……予想しなかったよ。
一年生ルーキーたちに……山岳アタックさせるなんてな。

金城のリタイアは、ライバルチームの新開にも大きなショックだった。敵とはいえ、よろこべない。箱根学園はこれでずいぶん有利になったけれども、金城はさぞ無念だろう。

そんなことを考えていると、新開のうしろから、自転車が一台、近づいてきた。

シャ――――

新開は気配を感じてふり向いた。

黄色いジャージだ。

田所迅だ。ひと足先に総北を引きまくって、首の皮一枚をつないだ立役者だ。

今、役目を終えた田所もまた、山の直前で、総北本体からは切りはなされ、自分のペースでゴールをめざして走っているところだ。

追いついてきた田所は、

「おう」

と新開の肩にポンと手をおいた。

新開は、

「迅くん。また、ならばれたな。このレース、何度目だ？」

とじょうだんを言った。

「言うぜ、新開」

と田所がニヤッとした。

新開が、

「いい勝負だった‼」

と言うと、

「おたがいにな‼」

と田所が言い、どちらからともなくガッチリとあくしゅをした。

敵チームとはいえ、三年生同士だからわかる気持ちが流れ合った。

おととい、昨日、今日、と何度もやりあった二人だ。

同じスプリンター同士、ガンを飛ばし、にらみあい、肩をぶつけ、肩でおし合い、むき出しで闘った。

けれど、昨日の敵は今日の友。どちらももうこれ以上はやれないくらいペダルをふみまくった。先頭からはちぎれてしまったけれど、やり切った充実感があることも同じだった。

しかし——

しばらくならんで走っていたが、二人ともさっき見た「情景」がよぎって、次の言葉が出てこない。

それはリタイアした金城がコースサイドにどっさりとすわっていたすがただ。それを横目にチラリと見ながらペダルをふんで通りすぎたが、キャプテンのリタイアという衝撃的な光景に、頭ではわかっていても心がなかなかついていかない。

これがレース、たかがレース、されどレース。

やがて、田所が口を開いた。

「……金城のことは、オレも予想しなかった」

「……うん」

「けど……つながった」

「？」

新開は田所を見た。田所はたきのようなあせを流しながら、前方をおにのようににらみつけていた。

「〝つながり〟だけありゃ十分だ。細っせー糸でもな。オレたちにとっちゃ、つながってることが大事なんだ!!」

自分に言い聞かせるようにとつとつと話す田所の言葉を、新開はだまって聞いた。

「おまえら、王者の箱根学園にとっちゃ、ゴールは守るものかもしれねぇが、いつだって、オレたち総北にとっちゃ、ゴールは切りひらくもんだからな」

新開がもう一度、田所の顔をチラリと見ると、彼はとてもほこらしい表情をしていた。

新開は思った。

寿一……、これか。この気持ちの強さが総北の強さの源か。

新開は、自分をおいて山の中に先に入っていったブルージャージのなかまたちをそうぞうした。今、どのあたりを走っているんだろう。

そして、今ごろ先頭を走っているはずの箱根学園キャプテン福富に心で話しかけた。

寿一……おまえがスタート前に、有名校でもなんでもなかった総北をマークするって言っていた意味がわかった気がするよ。

「ん？　なにか言ったか？」

と田所がこちらを向いたので、

「いや、ひとり言だ」

と新開は言った。

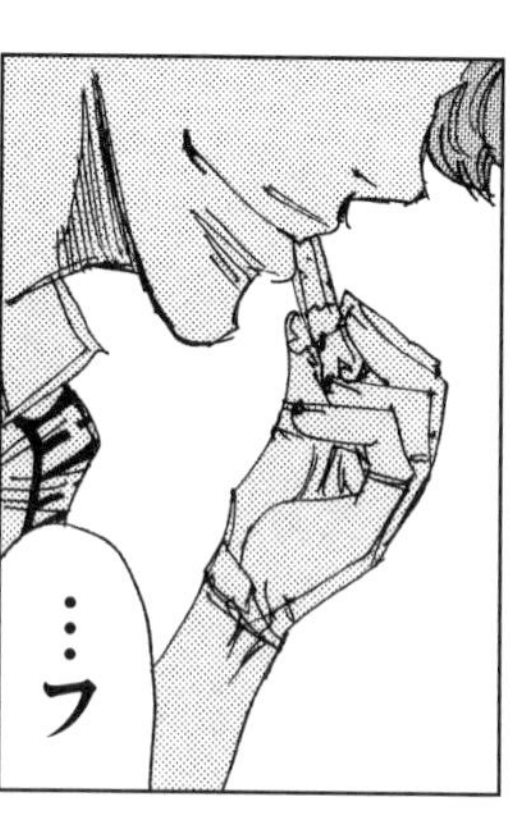

太陽がまぶしい。新開は思わず、ひたいのあせをぬぐった。

寿一――たのんだぜ。

インターハイ三日目、最終ゴールはかこくのきわみ、山のステージだ。

この先は、時に斜度が二十パーセントをこえる〝激坂〟が続く。

最後には、『地獄のステージ』とよばれる県道150号線。それが須走口からの上り坂。別名〝ふじあざみライン〟だ。

そこを走り切った先にあるもの……それは、

名峰・富士！

オレたちは、富士山を登るんだ!!!

名峰富士――
ドン

作戦は「なりゆきまかせ」？

そう、いよいよ、インターハイ三日目の最終ステージは富士山だ。

長かったレースが決着する「最終ゴール」は、ふじあざみラインを登り切った道の終わりにある、富士山須走口五合目駐車場だ。そこは標高二千メートル。雲よりも高い。

今年のインターハイのレースコースは、バラエティにとんだコース設定だ。

二日前に神奈川県の江ノ島をスタートし、しばらく海ぞいを走り、小田原の市街地コースをぬけて、箱根の峠をせめた。そこから、急坂をすべりおりて、いったん沼津に出てから北上して、

富士の裾野の湖畔地帯へ。しばらく山中湖をめぐり、そして、ゴールは富士山五合目。

いったん、ふじあざみラインに入るとそこから先は、平坦がほぼない。登りいっぺんとうの「頂上ゴール」があるだけだ。

そうこうしているうちに、新開と田所の二人は、籠坂峠の登り口までやってきた。ここで平坦道は終わりだ。急坂があらわれる。

「さぁて、オレたちも登るか！」

と、新開がかくごを決めるかのように田所に言った。

「だな!!　気がとおくなるな」

二人とも気が重そうだ。

彼らスプリンターは、登り坂は苦手なのだ。

田所がこしのポケットを手でさぐった。補給食をさがしたが、むいた皮のゴミしか入っていなかった。全部食べてしまったようだ。

「食う？」

新開が自分の補給食を田所に差し出した。

「ありがてぇ！」

田所は受け取ると、がぶっと食べた。

夏の日差しはますます強い。

坂にさしかかり、木かげのところに見物客がいる。

「がんばって～」

「いってらっしゃーい」

「登り、がんばれよー」

などと声をかけてくれた。


カシュン！


軽いギアにチェンジし、ペダルをふみこむと、太ももに平坦を走るときとはちがう重みを感じた。

これが、ゴールまでずっと続くのか、と田所が思ったときに、

「追いつくのか、総北は？」

と新開が話しかけてきた。

「悪いけど、実力差で言えば――だいぶあるぞ。オレたちには、真波も尽八も寿一もいる。みんな山を登れる。うちはかんぺきな布陣だ。そっちの作戦は？」

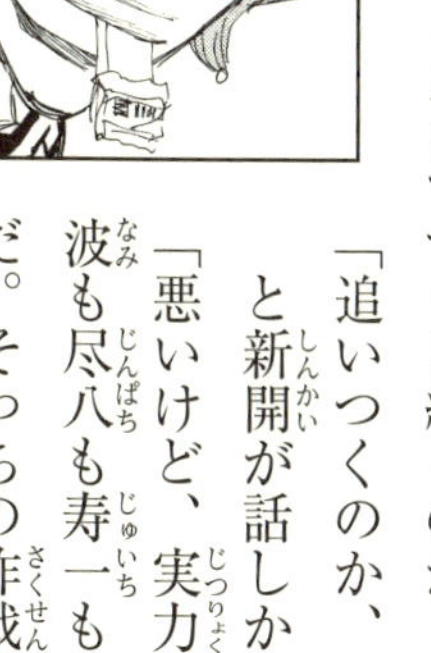

「ねぇな!!」

田所は早口でそっけなく答えた。

「たぶん――、金城が出られなくなった段階で、オレたちはやりつくしている。――ってことは、あとはなりゆきだ」

田所が続けた。

「ほどよくその場のじょうきょうをよんで、できることを〝やってく〟のが作戦だろうな」

「アバウトだな」

「ガハ。それがいいんだよ」

田所は補給食を口にしながら、わらった。

「それに……あのバカにはとくにな、このじょうきょうならなおさらだ」

意味深なことを言う田所に、新開がきょうみぶかそうに、

「そいつが、ハコガクに追いつくと？」

とたずねた。

「ああ。たぶんおどろくぜ。うちには限界を知らねぇ、赤いマメツブがいるんだ。あいつが……はたらくんだよ。まだだれも気がついてないけどな」

田所はニヤリとわらって、そう予言した。

スター鳴子、誕生

うわああああああああああああ
大声でさけびながら、小野田坂道が登り坂でなかまを引いている。

総北高校は黄色のジャージ。うしろに鳴子章吉、今泉俊輔、巻島裕介の隊列で箱根学園を追っている。

大声は、坂道が全力を出すときのくせだ。ゼッケン176番の小がらの選手は、きゃしゃな見た目に反して登り坂がとくいなのだ。

小学四年生からアニメが趣味で、毎週末、千葉からアニメの聖地・アキハバラまで片道九十キロを自転車で往復していたら、知らず知らずのうちに登り坂がとくいになっていた。

その才能をのばしたのは、同じクライマーの先輩・巻島だった。

このインターハイにレギュラーとしてだいばってきされた一年の坂道は、巻島が思ったとおり、このデビュー戦でも役立っている。

そして、レースも三日目。
ルーキーの坂道は、最初はドキドキ、オドオドするばかりだったが、今は「登り坂に入ったら、自分の役目がある」とわかっている。金城がそう教えたからだ。

坂道が引っぱる黄色いジャージの総北高校は二番手、トップを走る箱根学園はかげも形も見えない。それでも坂道は、少しずつ差がつまっている〝はず〟と信じながら、ペダルをふむ。差がつまっているのか、開いているのか、本当のところはだれにもわからない。

あせをふき出しながら、籠坂峠をしばらく登ってきたところで、うしろのほうを走っていた鳴子が、するすると坂道にならびかけた。

ゼッケン174番のピナレロ※の赤い自転車が、坂道のとなりにきた。
「小野田くん!! ようがんばったな。つかれたやろ。ここらで一回、先頭かわるで」
と声をかけた。

※ピナレロ…イタリアの自転車メーカー。鳴子の愛車

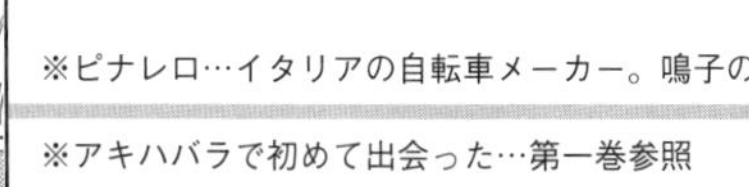

※アキハバラで初めて出会った…第一巻参照

坂道は山に入ってから、ずっと総北の先頭を走ってきた。

「うん!!」

先頭を赤い自転車にゆずった。

坂道はふと、鳴子くんはほんと赤が好きだなあと思った。

髪(かみ)を赤くそめ、自転車もまっ赤。

そういえば、アキハバラ※で初めて出会ったときも、まっ赤で目立ってたもんな。

そんなことを思い出した。

鳴子は、

「さあ、いくでいくで、追いついたるで」

とチームをはげますラッパのように声を出した。

そしてギアチェンジ。

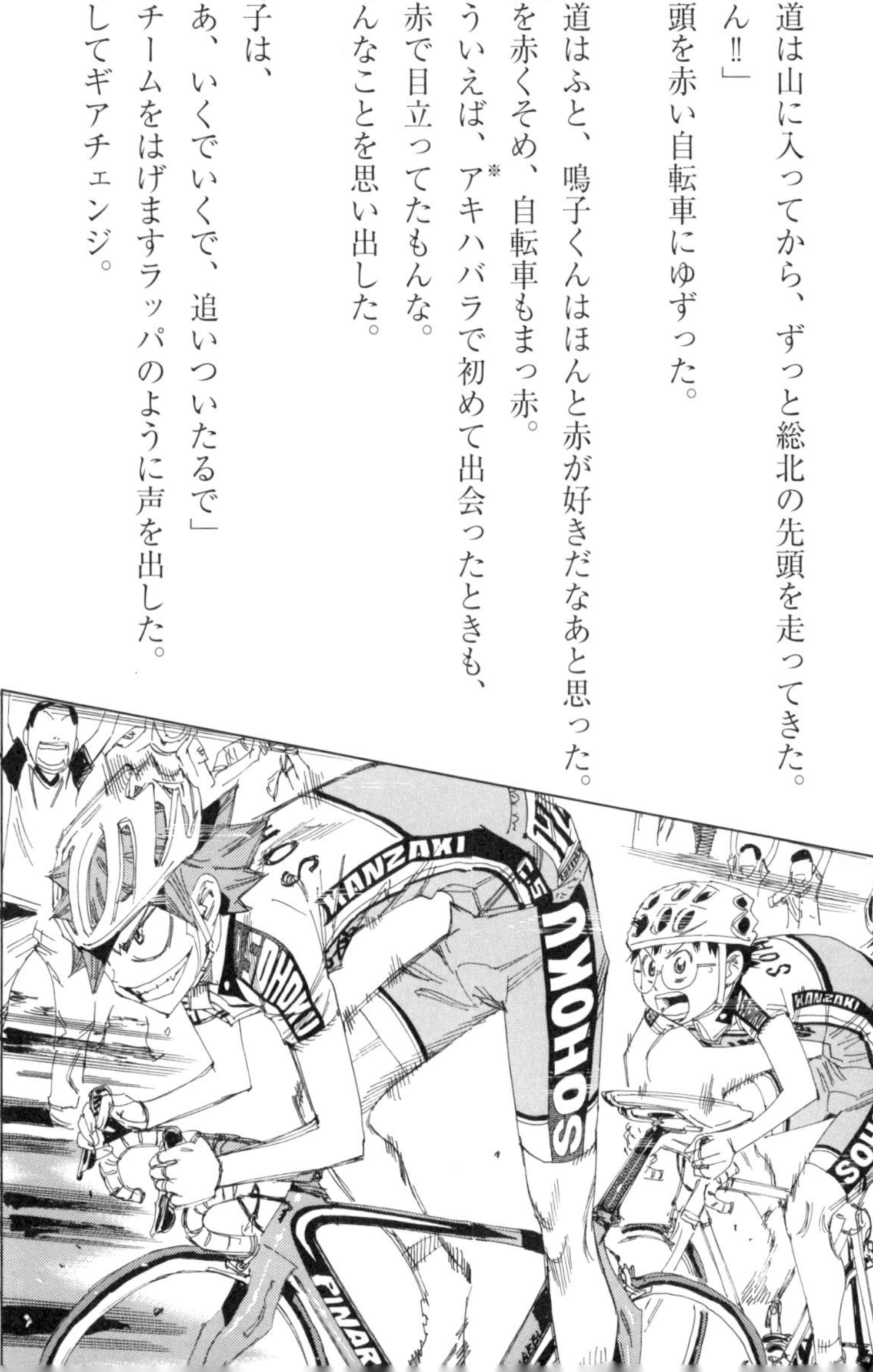

カシュッ！

わざとギアを重くして、パッと下ハンドルに持ちかえた。

そのとたんに坂道が、

「鳴子(なるこ)くん……」

と言った。

ふつう、登り坂ではギアを軽くする。そのほうがペダルが軽くなって登りやすい。ギアを重くするととても強く、とてもゆっくりとふみこまなければならないから、太ももがピシピシにはって、つかれていくのに。

「もしかして……スプリントクライム[※]を出すの!?」

と坂道がさけんだ。

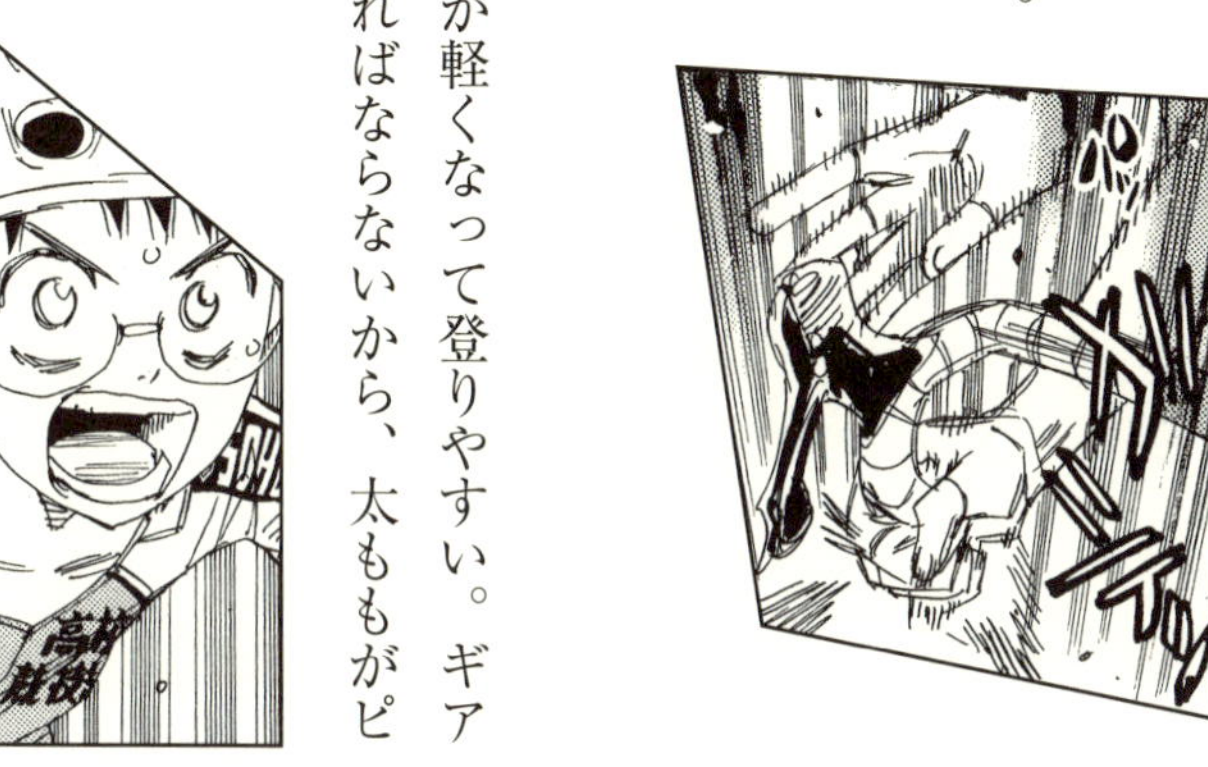

※スプリントクライム…鳴子の必殺わざ。重めのギアで体重を前にかけ車体をゆらして進む

沿道のファンも気がついていた。

「なんだあいつ、赤っ!!　登り坂で下ハンだと!?」

鳴子は、

「どかんかい、おるあああ!!!」

関西弁まるだしの〝まきじた〟でいせいよくほえた。そして、ほえるやいなや、サドルからしりを高くあげて、ダンシングでぶっ飛ばし始めたのだ。

「ワイが浪速のスピードマン、総北の天才ロケッター、鳴子章吉や!!」

ギャアアアアアアアアアアン！

下ハンドルは、平坦道の直線勝負のときに出すわざだ。ハンドルの下の部分をにぎって、頭をひくくし、空気抵抗をへらして、体全体をだんがんのように使うため、直線で速度が上がる。

でも、それは登るためのハンドルの使い方ではないのだ。

ところが――

「おるああぁぁあああああああ！」

鳴子はかまわず、下ハンドルのままダンシングでぐいっぐいっと左右のペダルをふむ。速度を上げながら坂を登っていく。

これは、〝おきてやぶり〟の走法だ。

その速さに、

「鳴子！」

と巻島がどぎもをぬかれた。

「鳴子‼　こんなに登れたのか‼」

と今泉がおどろいた。

「鳴子くん‼」

と坂道はなんだかうれしくなった。

観客が、
「ちょ……待て……174番、あいつ、スプリンターじゃないのかよ‼」と、どよめき始めた。

鳴子は、

「来いや！　来いや！　来いや！　ワイの真骨頂※、見せたるわ‼」

と、ギラギラとした表情でさけびながら、いさんでペダルをふんでいた。


「総北がへんな作戦に出てるぞ？」

観客がざわめき始めた。

ジージージージー

鳴子をおうえんするかのように、高原のセミがよりいっそう大きな鳴き声で鳴き始めた。

今泉はめんくらっていた。

※真骨頂…本当のすがたのこと

いったい、どうなってる⁉
鳴子が前に出て引いている。このキツい「登り」で‼
スプリンターのおまえが⁉

敵をあざむくには、まず味方から、という格言さながらだ。

鳴子は今泉の気持ちなんて、まったく考えていなかった。
「もらったチャンスや。ぞんぶんに生かさせてもらいますわ、金城さん‼
目立ちまっせ‼　はでにいきまっせ‼
ワイが浪速の赤いだんがん‼　鳴子章吉や‼」
と飛ばしていく。

たしかに、「目立ち方がたりないいんじゃないか？」と、リタイア直前に金城から言われたとはいえ――。

「なんだあいつ!!!」

「さけびながら登ってくるぞ、あいつ、一年⁉　うそ!!」

鳴子の走りを見て、ドワーーっと観客がもりあがった。

「お？　総北はまだあきらめてないぞ、行っけ～一年!!」

「すげ、総北!!　赤っ!!」

「赤髪、がんばれー」

箱根学園が通りすぎたあと、しばらく静まっていた沿道の観客が、総北の登場で、これはおもしろいものを見つけた、とばかりにさわぎ始めた。

「わけ、もっとわけ!!　ワイはまだ登るで!!」
と、鳴子は片方の手をひらひらさせて、観客をあおりながらペダルをふんで坂を登っていく。

「すげえ‼」

「赤いだんがん‼」

「速っええ‼」

観客は大よろこびだ。

「すごい、鳴子くん‼」

坂道も目をまるくしている。

「クハ‼　どうしたっショ、鳴子ォ‼」

と、巻島もさすがにわらった。

今泉だけが、けわしい顔をしている。

むむむ、

おまえはスプリンターで、最速スプリントに特化した男じゃなかったのか!!　鳴子!!

スプリントクライムだと!?

いや、オレは知っている。

今泉は〝あの日〟を思い出した。


あいつが入部直後の一年生レース※のとき、峰ケ山の急坂で走れなくなったことがあった。

そのとき、一人で、もくもくと峰ケ山の登りを克服しようと練習していた。

――けど、ちがう。

「登れる」ようになるのと、「速く登れる」ようになるのとは!!

あいつは今、
このインターハイのラストステージの登りを、だれよりも速く登っている!?

※一年生レース…第二巻参照

つまり……前との差をジリジリとつめている！

今泉は、鳴子とずっとライバル関係にあった。だから、鳴子の走りをいちばん知っている。すぐれたところもダメなところも。

だが、今、〝知らないところ〟が出ているのだった。

巻島が、

「クハ!! あいつ、おもしろいッショ。小野田とはちがった意味で目がはなせねぇ!!」

と、声をあげた。

坂道が、

「す、すごいですね、鳴子くん、な、なにか、お、おいしいものでも食べたんですかね」

と言うと、巻島が、

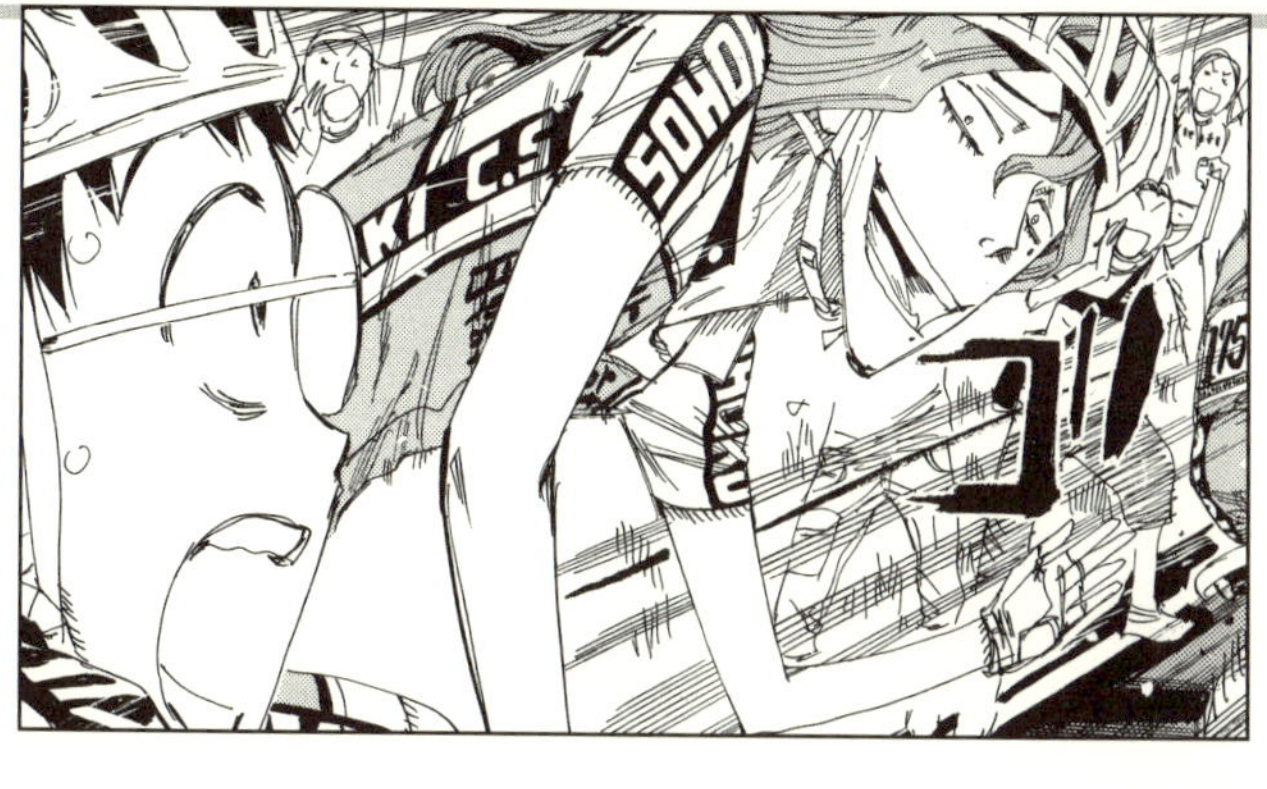

「だろうな!!」

と言ったから、

「え!?」

坂道はおどろいた。

巻島(まきしま)は、

「あいつにとっちゃ、ごちそうなんだヨ!!

このじょう・・・・・・・・・きょうが!!」

と言った。

坂道は、

「じょうきょう!?」

と聞き返すだけで、なんのことだか、わからなかった。

うるあああああああああああーー

鳴子がコーナーを切り返すたびに、ワァー、ワァー、

すごい歓声があがった。


「アイツ、すっげー登るぞ!」

「赤い!! 赤い頭に赤いピナレロ!!」

「がんばれー!!!」

「走りも、はでだぞ!!」

と観客がわく。

下ハンドルで、しりを高く上げたダンシングで、コーナーのインサイドぎりぎりをせめていく。

「見たことねぇスタイル!」

「あぶなっかしい！　でもすごい‼」

「うおおおおお」

「総北、速ええ‼」

観客も大興奮だ。


坂道はようやく、「ごちそう」の意味がわかった。


そうか、「せいえん」だ。

みんなのおうえんが、鳴子くんのいちばんのエネルギーになっているんだ。


「わけぇぇ‼」

鳴子はロックスターみたいに、沿道をねっきょうさせているのだ。

そのとき、

「がんばれ!!　ハコガクに追いつけよォ!!」

と観客の一人がコースに手を出してきた。

「あぶない！　ぶつかる！」

と坂道がうしろからさけんだ。

「バカ！　ぶつかったら落車だ！」

と今泉も同時にさけんだ。

ところが鳴子はパァンとその手をたたいた。

「おーーきに!!　おうえん、よろしゅうに!!」

観客とハイタッチしたのだ。

そのしゅんかんに、ドーーーーーンと観客がわいた。

山がゆれたかと思うほどもりあがった。

「オレ、総北をおうえんしよう」

と、一人が言うと、

「オレも」

「総北がんばれ‼」

「総北‼」

しだいに声が大きくなる。

「総北‼」

「総北‼」

いつの間にか、峠に向かう沿道から総北コールが起こった。

「おーきに‼」「おーきに‼」「おーきに‼」

鳴子は手を差し出すファンに、パンパンパンと軽快にハイタッチしていく。

「なにやってんだ、鳴子‼」

と今泉がさけぶ。

ところが、沿道のファンはますますねっきょうしてきた。

女の子たちが、

「ちょっと今の人、かっこよくない？」

「うん、見た見た」

「赤い人、カッコイイ‼」

と、ざわめき始めた。

ゼッケン174番の赤い自転車がみんなを夢中にさせていく。

「なんかオモシロイのがいるぞ、総北をおうえんしようぜ‼」

「写真、とろう！」

「あ、こっち見た！　カメラ目線!?」

「これバズるでしょ!!!」

「ソーホク！　ソーホク！」

「鳴子章吉ーー!!!」

「イエーーーーーーーイ!!!」

沿道のせいえんが、天井知らずにエスカレートしてきた。

インターハイのレースなのに、なんだかコンサートやおまつりみたいになってきた。

鳴子は、ほくそえみながら、

キタで、キタでーーー。
ワッショイ、ワッショイ！

わけ!!
もっとわけ!!
自転車乗りは、
目立ってナンボ!!!
優勝してても、はで!!
とちゅうでバテても、はで!!
はでに生きんとオモんない!!
わけ!!
それが全部、ワイの力になる!!
と、つぶやいた。

こんなことを体験したことがない坂道は、つられてほおが紅潮してきた。

なんか圧が……せいえんがボクの胸にひびく!! 力がこみあげてくる!!

と目をかがやかせた。


ぎゅっと手をにぎってみた。たしかに力がわいてくる。

坂道は、つられてその手を空につき上げた。

「おうえんがすごいですね。すごすぎて、力がわいて……きます！」


「ああ、こいつがオレが言った〝じょうきょう〟。インハイ三日目だ!!」

巻島がかいせつした。

「インハイの最終日は、人が集まるんだ。多すぎるってくらいにな。最後の優勝争いを見ようって、一日目や二日目とはくらべものにならねーくらい集まんだ。

その声が振動になって、走ってる選手のケツをおすのさ。感じるショ」

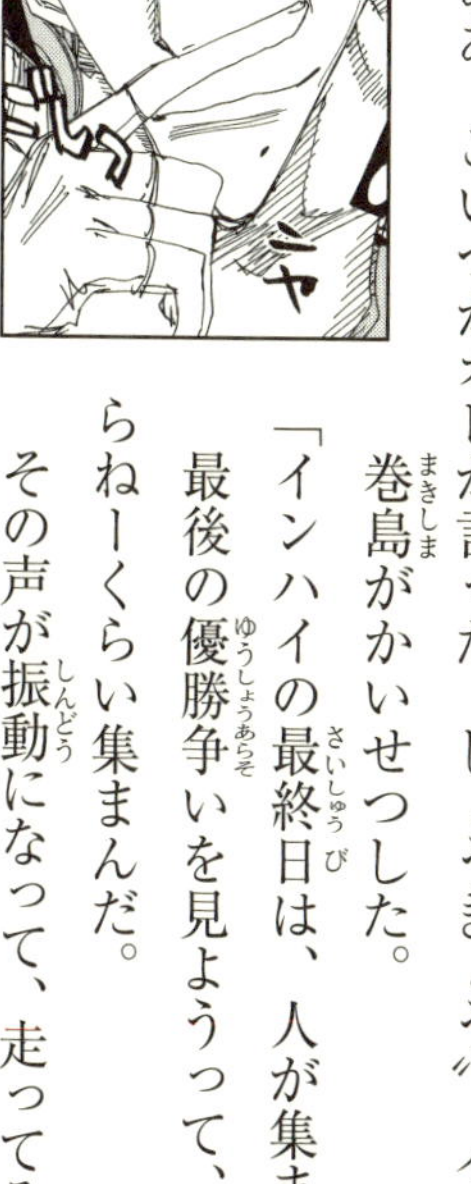

はー!!　たしかに、おされているかも……!!

坂道はおうえんにしりをおされる感覚（かんかく）を初めて味わった。

「ケド、ただ走っただけじゃ客はおうえんしねェ。

へんなヤツ、

がんばってるヤツ、

目立つヤツ、

はでな自転車に乗って、はでななりして、スプリンターなのにぐいぐい登るヤツ、

そういうのに集まってくんだ!!」

巻島がうれしそうに言うのを耳にして、今泉（いまいずみ）は思った。

鳴子章吉（なるこしょうきち）――!!!

おまえはバカがつくほど、はで好きだ!!!

この調子ならば……このいきおいのまま、もう一度ハコガクに……追いつける……ん……じゃないか。

コースの両がわからふり注ぐ「ソーホクコール」の中を、鳴子が斜度をものともせずに引っぱっていく。

「どや!! どや!!
見てったってや!!
ワイが鳴子章吉や!!!

ワイの走り、目に焼きつけてや!!
カメラ、バッチリとったってや!!
名づけて、ビックリドッキリ鳴子必殺――
『デーハー・ドヤドヤ・クライム』や!! どやっ!!!」

タイヤがすりへったピナレロ

「おそらく、今ごろ、赤いマメッツブが速く(はや)なっている、はず、なんだよな」

と、田所が言った。

「は？」

新開(しんかい)はなんのことを言っているのか、まったくそうぞうがつかないといった顔で、いぶかしげに田所を見た。

「あいつをたんなる、はで好きのお調子モンだと思ったら、またおどろくぜ。

おそらく……この登りで、もう一段(だん)、速く(はや)なる!!」

田所はそう宣言(せんげん)した。

――そう、それは、インターハイ初日からさかのぼること、三週間前のできごとだ。インターハイのレギュラー発表の日のことだった。

「話ってなんすか、オッサン」

鳴子は田所に自転車競技部の部室によび出されていた。

鳴子は一年生なのに、三年生の先輩の田所を「オッサン」とよぶ。えらそうなんだか、なれなれしいんだか。

最初のころ、田所はそうよばれることに、いちいちおこっていたが、鳴子はやめない。

大がらの田所はがっしりとうでを組んで、背のひくい鳴子を見おろしながら、

「インターハイの六人におまえはえらばれた。オレと同じスプリンターとして」

「とうぜんす‼」

二人は体格(たいかく)がぜんぜんちがう。同じポーズをとると、重戦車(じゅうせんしゃ)・田所のシルエットに、鳴子はすっぽりとかくれてしまう。

カッカッカッ

鳴子はうれしそうに、かんとくからもらったばかりの黄色いジャージを見せびらかすように広げた。

「今さら返せいうても返さへんですよ‼　ワイのもんやからー‼」

「……」

「本番は、走って、走って、走りまくったりますよ‼」

そんな鳴子を、田所はただじっと見つめていた。

「て……なんすか、しんけんなカオして」

のってこない田所にしびれを切らして、鳴子はマジな顔になった。

「アドバイスだ」

「は？」

「よく聞け、スプリンターの先輩としてのアドバイス。おまえは……」

と田所が言ったとたんに、鳴子の目つきがするどくなった。

「おまえは登れ」

そのひと言にカクッと鳴子が左にずっこけた。

「ちょっ、待ってんか、スプリント、関係ないやないすか。しかもなんですか、そのアバウトなアドバイスは」

なにを言い出すんだと言わんばかりに、鳴子は反発した。

「話を最後まで聞け！　インハイは平坦も多いが、山もある!!」

田所が話し始めた。

「そらそうや。そんなん知っとるわ」

早く本題に入ってくれと鳴子は気が急いた。

「山はタイム差が出やすい。山は重要なステージだ。そこで、うちのチームに登れる選手を一人でもふやしておきたいんだ」

自分の考えを話す田所に、鳴子は取り合わない。

「ほな、オッサンが登ればええんじゃないですか？　ワイはスプリントの練習をもっとしますから」

「いやダメだ。おまえがやるんだ。山は体重がものをいう」

「は？」

鳴子は田所のでかい体を見上げた。

「おまえはマメツブだから」
「オレは重戦車。おまえはマメツブだから」
「なにをーーーーーーー!!!」

指をさされて、鳴子(なるこ)はカチンときた。思わず、そこにあったボトルを投げつけた。

「コラ‼　投げんな‼」

「どういうことやねん、だれがマメツブじゃーーーい‼」

「待ておいコラ‼　おちつけ、ボトル、投げるな」

はーはーはーはー

二人はまだ、にらみあっている。

「はっ、さてはオッサン、ワイに最速(さいそく)の称号(しょうごう)を取られるのがこわくて、登りの練習をさせようとしとるんですか‼　インハイの区間賞(くかんしょう)のゼッケン、ほしさに？　かぁー、セコいことしよるわー。ワイが登りをやっている間に差(さ)をつけようと‼」

「アドバイスだって、言ってんだろ。オレがそんな度量(どりょう)のせまい男に見えるか‼」

「見えます。マメツブくらいに」

「てめコラ！　頭かせ」

「いたい、いたい」

ボコボコ

ガラガラ

もみあってるうちに部室のだんボールばこがくずれてきた。

「うるさいよ、おまえら、コントか……」

となりのへやで、一人しずかにローラーをこいでいた巻島がたまりかねて、声を出した。

それでいったんはおさまった。ひとあばれした二人は肩で息をしている。

鳴子が、

「登りの練習はしません!!　ワイはインハイで……」

とカバンをせおって、部室をあとにしようとした。そして、ふり返りぎわ、

「ドはでな最速男、鳴子章吉として、インターハイではなばなしくデビューするんすから、ジャマせんといてもらえます？」

と、キラッキラしたひとみで、キッパリとせんげんした。

「そんでは、しつれいしゃーす」

その鳴子の背中に向かって、田所は、

「スプリンターなのに、登れる、ってのは、はでな男だと思うけどなあ」

と小さく声をかけた。

ぴくっと反応して鳴子の足が止まった。

「『あいつ平坦速い。速いのに……山もイケるのか――』ってな」

鳴子の全身がブルブルとふるえ始めた。

「それをインハイでもしやったら……観客が大いにわくんだろうなァ」

しばいがかった声で田所が話し続け、ため息を一つついたあと、

「目立つんじゃないかな——。なあ、どう思う？　鳴子くん？」

田所があまい声で言ったしゅんかんに鳴子はふり返った。

きらーーんと音がしたかと思うほど、鳴子の表情はかがやいていた。
そして、たまらないという感じでびゅっとふり向いた。
「て!!　いやいやいやいやいや。あぶなっ。あぶなくオッサンの術中にはまるトコでしたよ。ワイはぜったいに登りの練習はしませんからね!!」
そう言い残すと、タッタッタッタッと走って帰っていった。

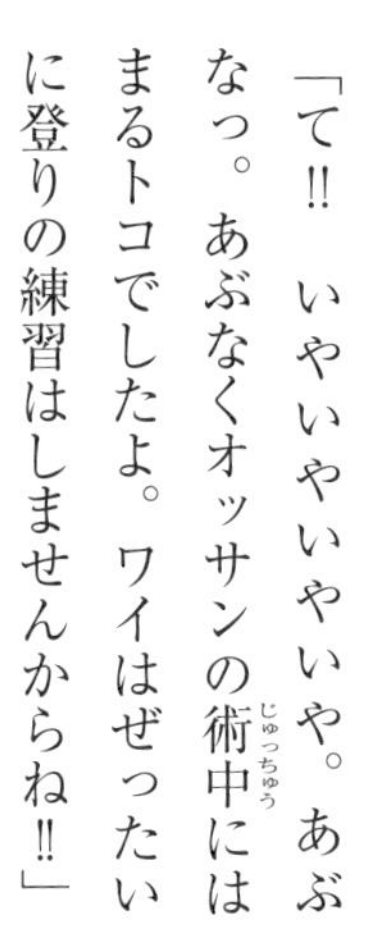

「ち。あとちょっとだったな」

と田所がした打ちすると、巻島が、

「ベタなやり方ショ」

と肩をすくめた。

その翌朝。

鳴子は、練習着を着て、愛車の赤いピナレロにまたがっていた。

「……と。思っとんのに、なんでこんな早朝から峰ヶ山の入口におんのやろーワイ!!」

四月に新入生かんげいウエルカムレースをやった山だ。そのふもとにある、峰ヶ山神社の名が書かれた石碑の前に立った。目の前に上り坂がスーッと見える。うでを組んでいた。

考えをめぐらせた。

夏とはいえ、朝の空気はピリッとすずしくて、いい考えがうかびそうだった。

「まあ、あれや」

鳴子の足元にチュンチュンと朝のスズメがやってきた。そいつに話しかけるように、

「チームのためにやな。そやそや」

と言ってみた。

「オッサン関係ないでホンマ」

息を一つはくと、ペダルに足を乗せた。カチャンとシューズをはめたひょうしに、パーっとスズメが飛んでいった。

鳴子は坂を登り始めた。

登り坂か。考えたこともなかったな。

ダンシングで力まかせにいってもダメや。
スプリントクライムも限界(げんかい)がある。
うーむ。
小野田くんみたいに、登りでくるくるとは足が回らんからな。
どないする。

ゆっくりとしたペースで坂を登り始めると、とたんにあせがひたいににじんできた。

ダンシングがあかんとはいえ、
※シッティングでやると、とたんに速度(そくど)が落ちる。
やっぱあかんか。

おしりをあげたり、サドルにすわってみたり、その日はいろいろとためしながら山頂(さんちょう)まで登って、パーっとおりてきた。

※シッティング…すわって、こぐこと

朝から動いたせいで、授業中はねていた。
ちょうねむい。
その日以来、鳴子は峰ケ山に毎日、通い始めた。
授業中もねながらも、どう登るかを考えていた。

なんか使えるものがあれば。

足じゃなくて。なんや。こし……首……


「そうか！　わかった！」

と鳴子はスッと立ち上がった。ここは教室だ。

「なに!?　鳴子、わかったのか？」

と先生が言った。

「うれしいぞ!!　ねてるとばっかり思ってたから。さぁ、答えてみろ」

「先生、今から、自転車乗ってきてエエすか？」

鳴子はそう言うと、教室を飛び出した。

「おい、なんでだーーー‼」

先生の悲鳴を放っておいて、鳴子は自転車競技部の部室に急いだ。そして、とめてあった赤いピナレロにまたがった。

めざすは峰ケ山。

ぐいっ
ぐいっ

いける‼
こいつは‼
スプリンターの特性を
そのまま生かせばええんや‼

つかんだ。
アカン
やっぱワイ
天才や!!

ガァアアアアアーーーーーー

鳴子に登りのトレーニングをすすめた田所は、ある日、鳴子のピナレロを見て、おどろいた。

「タイヤがすげぇ、へってる。案外(あんがい)、すなおじゃねーか。ガハ」

必殺(ひっさつ)わざはピンチのときに出すもんやろ

「ソーホクゥゥゥウ！」

「ソーホク！」

「ソーホクゥゥゥゥウ!!!」

大せいえんのシャワーの下をかっこよくくぐりぬけていく鳴子(なるこ)。そのあとを、今泉(いまいずみ)と坂道はひっしで追いかけた。

「す、すごいね、鳴子くんって。おまつりみたいだね!!　今泉くん!!」

と、坂道が今泉に言った。

「たしかにすごい走りだ。なにが〝ドヤドヤクライム〟だ。だが、だいじょうぶなのか……」

「え？」

「このままだと鳴子は失速する」

「えっ」

今泉が急に不吉なことを言うので、坂道は目をまるくした。

「鳴子(なるこ)はスプリンターだ。いきおいだけの全開(ぜんかい)クライムは長くはもたない!!」

そういう今泉(いまいずみ)の声の向こうから、坂道には鳴子の、

「おるああ、どやあああああ!!」

という、いせいのいいさけびが重なって聞こえてくる。

「そ、そ、そうなの?」

「今、鳴子がダンシングして、※こくししている足……、次(つぎ)にサドルにこしをおろして休んだら――」

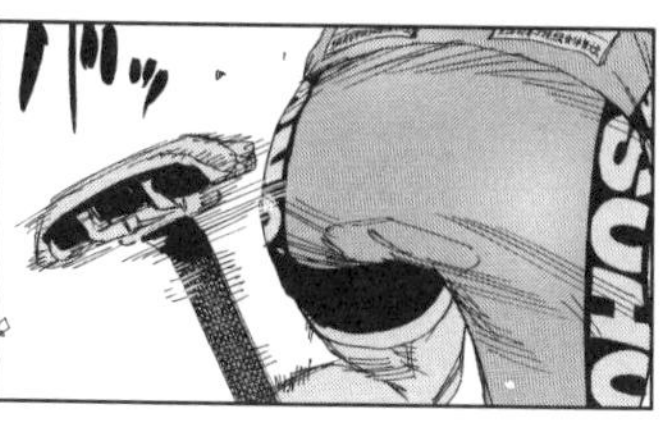

※こくし…こきつかうこと。漢字で書くと「酷使」

「休んだら――――？　なに？　今泉くん？」

観客の声が、

「ナルコォーー‼」

「赤髪ーーーーーーー‼」

「鳴子ォォォオオオ‼」

とあまりにも大きくひびいて、耳をつんざくくらいの音量だったものだから、かんじんなところが坂道にはよく聞こえなかった。

ハァハァハハハァァ

「どやあああ‼」

とさけぶ鳴子の声と、

「休んだら、そのときが最後だ‼」

とさけぶ今泉の声が、坂道には重なって聞こえた。

「えっ!!」

そのしゅんかんに、

ド　ス

鳴子がサドルにすわった。

ハッ　ハッ　ハッ　ハッ　ハッ　ハッ　ハッ　ハッ

ハッ　ハッ　ハッ　ハッ　ハッ　ハッ　ハッ　ハッ

そして、みじかく速く、何度も細かく息をし始めた。

「な、鳴子くん!!!」

坂道の顔がゆがんだ。

ハッ　ハッ　ハッ　ハッ　ハッ　ハッ　ハッ　ハッ

さてと。

ニカッ

鳴子が首を曲げて、自分のわきの下からうしろを見た。

わらっている。

坂道も今泉もハッとした。

そのあと、鳴子は、

「カッカッカッ」

といつものようにわらった。

坂道は鳴子と目が合った。

それから、鳴子は今泉の目を見た。

「スカシ！　スカシよ。そのセリフ、まっとったで！」

と鳴子は言った。

「しかしおまえホンマ、はで好きのイミ、ぜんぜんわかってへんな。

ここってとこまで、とっとくのが、いっちゃんはでなんや‼

ヒーローの必殺ワザはみんながピンチのときに出すもんやろ‼」

鳴子は大きく目を見開いていた。

その顔を見て、坂道はブルっと武者ぶるいした。

今泉は、

出す？　うそだろ、こいつまだ、なんかあるのか？

とそのとき、
鳴子は、ズッ、ズルッと、サドルのすわる位置を前にずらした。
うでを今まで以上に曲げた。

変身するのか？

「いくで、鳴子必殺ーーーーー!!」

鳴子の変身に観客たちも気がついた。

「なんだあのヘンな乗り方は……」

「でも、速えええ!!」

「あっ!!」

と今泉がおどろくと、前を行く鳴子は左手の親指を立てた。

「おまえはここまで、これをかくしてきたのか!!」と今泉（いまいずみ）はさけんだ。

第二章 なみだのナビゲーション

発動(はつどう)！　アーム・ストロング・クライム

鳴子(なるこ)はサドルのすわり位置(いち)を前のほうに変えた。筋力(きんりょく)をいじするためだ。

顔をハンドルバーにぐっと近づけた。

すると、両ひじが水牛のツノのように外にはり出すようなフォームになった。

そして、スプリンターがゴール前で全力しっそうをするときのように、うでを左右にふり始めた。

メトロノームのように赤いピナレロも左右にゆれた。

「ナニっーー‼　うでの左右へのふりを……前への推進力(すいしんりょく)に変えている！」

と今泉(いまいずみ)が思わずさけんだ。

「どや。どやどやどや！
これが、スプリンターの特性！　うでっぷしを使った、強いクライム！
見さらせこいつが、鳴子商店自社開発のアーム・ストロング・クライムや‼」

またもや鳴子の速度があがった。

鳴子くん！

まうしろを走る坂道は、おいてきぼりをくわないようにすぐさまケイデンスをあげた。
沿道からはまたもや、
「おおおおお！」
「あの赤、ぐいぐい登っていくぞ！」

「すげぇ‼　総北、鳴子‼」

次々に声があがった。つられて鳴子の横をいっしょに走り出す観客があらわれた。


「登る‼」

と観客が歓声をあげると、

「おー！」

と鳴子は沿道に向かってさけんだ。

「登る！」

「おー！」

「すげぇ‼」

「おーー！」

とうとう、鳴子の自転車と、観客の歓声が、いっしょの速度で坂を登り始めた。

鳴子はニッコニコの満面のえみで走行した。

これやこれやー
オッサン、あの日のアドバイス
今、超感謝してますわ!!!

生粋のスプリンター

「ワァァァァーーーー!」

「ん? 風にのって、山から歓声が聞こえるな」

ふと田所が空を見上げた。

田所はまだ、山の下のほうにいる。


あいつ、やってるな。

マジメでまっすぐで、はで好きで、やっぱりおめーは生粋のスプリンターだよ!!

ゾクッ

今泉は武者ぶるいした。

前を行く鳴子の走りにあっとうされている。

鳴子。おまえは、チームメイトのオレたちまでだまして、そして、魅せんのかよ!!

すなおにしっとするぜ!!!

今泉にも火がついたのか、ペダルをギャァッと力強くふんだ。

それを見た坂道は「すごい」と心の中でさけんだ。

巻島は「やれやれ、しげきされてるな」とでも言いたそうにニヤニヤした。

意地はってナンボ

「さぁて、そろそろ、鳴子劇場の仕上げ……やな」

と、鳴子はつぶやいた。

鳴子は手をのばしてまっ赤なピナレロのフレームからボトルを取った。ブシャァーといきおいよく頭から水をかけると、頭をぷるぷるとふった。

夏の日差しで、水てきがはじけるようにキラキラと光った。

「行くで。行くで行くで。

この先のハコガクのおる先頭まで、ぜったいにワイが追いついたる!!」

沿道の「ソーホクコール」はいまだなりやまず、そのせいえんのアーチをくぐりながら鳴子は走る。
足の筋肉がピクピク、ビクンと反応するものの、息が少しあらくなってきたくらいで快走は続いている。

ハァ、ハァ、ハァ、ハァ、ハァ、
おるあああああ
そんで鳴子劇場、総仕上げや！
箱根学園の東堂さん。
追いつかせてもらいますわ……。
ゴールまで残り二十キロ。
あんた、キッチリと走りきる「走り」でしょ。
すんませんけど、

ワイは、カッカッカッ、
最初から、そういう気はないんすわ!!
ハァ、ハァ、ハァ、ハァ、ハァ
ワイはな、キッチリなんか、しらん。

片道切符の途中下車や!!!

そして鳴子は歓声に負けないほどの大声でよびかけた。

「小野田くん！　スカシ！　巻島さん！」

「？」

「！」

「!?」

「乗ってけ！
ハコガク行きの最速（さいそく）‼
特急列車鳴子号（とっきゅうれっしゃなるこごう）や‼」

そのあとのセリフは、鳴子（なるこ）は声に出さずにのみこんだ。

知っとるか。
ガス欠寸前（けつすんぜん）の体は、
軽くて速（はや）いんや‼

左コーナー。鳴子は体を左にかたむけて、グイグイとこいでつっこんでいく。
左ひじがバンとガードレールに

あたった。近すぎた。

「鳴子くん！」

まうしろを走る坂道が心配した。

今泉が、

「キレてる……走りが……!! キレキレすぎる!! あいつ!!

ヤバい!!」

と心配した。

坂道は、

「そろそろ代わるよ、鳴子くん」

そう言って、赤い自転車のとなりにならんだ。

今泉も、

「代わる。下がれ鳴子！」と、自転車をならべてきた。

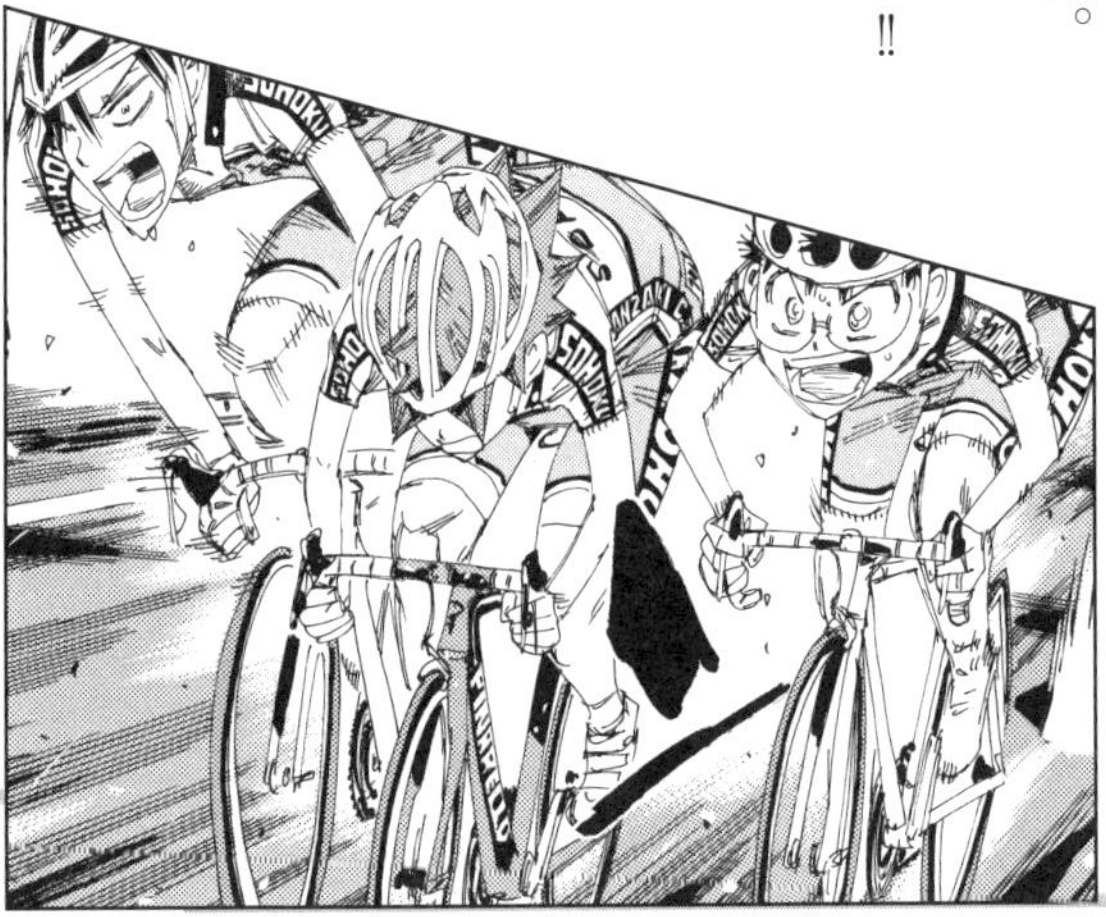

しかし、二人の気配を感じると、鳴子はまた、ダァンとペダルをけとばしてスパートした。

そして、

「すんませんけどお客さん、走行中は手や頭など出さないようにおねがいできますか？」

と言った。

坂道と今泉はあっけにとられて顔を見あわせた。

鳴子は二人の顔を満足げに見ると、

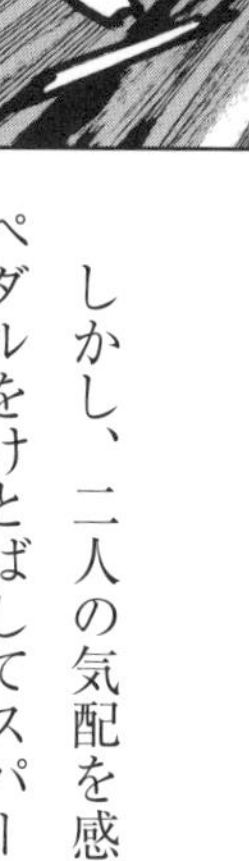

「鳴子列車の先頭は、チームの先頭！
ワイの特等席や‼
つりかわやハンドルに、しっかりおつかまりくださーーーい‼」
と、車しょうの口まねをした。

「意地をはるな鳴子!! 下がれ、休め、ローテで行くぞ」
すかさず今泉がさけんだ。

「オイオイ、スカシ。そりゃ、だれに言うとるんや。ワイは鳴子章吉（なるこしょうきち）やで？

意地？……？

そんなもん、はってナンボやろ!!」

鳴子のすごみに今泉と坂道はたじろいだ。

その表情（ひょうじょう）を見た鳴子は、本当に満足そうに、

「スカシ……んなことより生やさしすぎんか。また暑さにやられたんか、ス・カ・シ!!」

と、言いたした。

「ワイの体を気づかって!! あほか。レース中やで!!

『ゴールで勝つのはつねに一人』

ワイの知っとる今泉スカシは、いっつもそういうヤツや。もっとクールやろ？」

今泉はなにも言い返せなくなった。
坂道も、だまった。

ハァ　ハァ　ハァ　ハァ　ハァ　ハァ　ハァ

――ていうか、くそ、アカン

ハァ　ハァ　ハァ　ハァ　ハァ　ハァ　ハァ

鳴子は息が切れ始めた。
息をすってもすっても、さんそが体に回るのが追いつかない気がしてきた。
鳴子は、ゴシゴシと顔をこすった。

ハァ　ハァ　ハァ　ハァ　ハァ　ハァ　ハァ

おかしいな。
視野（しや）が、せまなってきた。

青い空、
白い雲、
コースのセンターライン、
両サイドの緑の樹々（きぎ）、
熱されたアスファルトからのぼる、
かげろうのゆらめき、

ゆらめき……？

ハァ　ハァ　ハァ　ハァ　ハァ　ハァ　ハァ　ハァ　ハァ

ははん
限界まで追いこみすぎて、脳にさんそがたりんくなるっていうアレか。

鳴子、変調。

しかし、まわりはだれも気づいていない。変わらず、両うでをふって使いながら、アーム・ストロング・クライムで登っているように見える。

鳴子は顔をしかめて、片目ずつこうごにつぶってみた。

うん
うん？
けど――――、
そこは〝進む〟が正解やろ‼

また、両サイドに観客（かんきゃく）がならぶゾーンにさしかかった。

「ソーホク！　ソーホク！」

というがっしょうが、うるさいくらいに耳に入ってくる。

バシン！

観客が手を出したのか、その手が鳴子にふれた。鳴子が、なにかにあたったみたいだ、とおどろいた顔をした。

「鳴子くん!!」

思わず、坂道が声をかけた。

「うわ！」

「なんだ？」
今度は鳴子の自転車がゆらいで観客につっこみそうになった。

「あいつ、目が？」

と今泉がさけんだ。

「くっそ」

と鳴子がさけんだ。

鳴子はペダルをふむ力を、ゆるめるどころか、ぎゃくに、もう一ゲージあげた。


見えん。

どうする。

せますぎやろ‼

カーブか？

直線か？
頭クラクラしてきた。
けど、足は動く‼
まだ。
そや。
白線は見える。

こいつをたどればええ。

鳴子は上げていた頭を下げた。
そして、地面を見ようとした。
地面なら見える。そこにはアスファルトに引かれたセンターラインがある。頭突き(ずつ)きのようなフォームでこげば、いける。
鳴子はハンドルをぎゅっとにぎりなおした。

つながっとる。
前の敵まで、白い線はつながっとる!!
「鳴子くん!!　ボクが引くから!!」
と坂道の声がうしろからした。
鳴子はその声を制するように、反射的にバッと手をあげた。
「小野田くん、アホか。心配しすぎや。
ワイがリタイアするとでも思っとんのか。

はじめに……
やくそく……したやろ。
ホラ……
スカシと三人で
肩を組んでトップゴールするって……
ゴールまで……いくっちゅーねん……。

最速でや!!
言っとくけど、ワイは……」

坂道は、その言葉になみだがあふれそうになった。
鳴子(なるこ)は、坂道がいると思って右手をのばし、右に向いてしゃべっていた。
だけど、坂道は左がわにいたのだ。
「小野田くん……、
ワイはトモダチとのやくそくは守る男やで」
目が……鳴子くん、見えていない‼
坂道は言葉がなかった。

なみだのナビゲーション

坂道は顔をゆがめた。

鳴子は見えてないのにペダルをふんでいる。でも、速度は少しも落ちていない。沿道のだれも気づいていない。

鳴子は、坂道が〝いないがわ〟に首を曲げ、手をのばし、そっちにいると思って、まだ話し続けている。

「せやから、ハコガク追いつくまで風よけに入って体力を温存しといてや。ああ……そや、小野田くん、一つだけたのみを聞いてくれるか」

そう言うと鳴子はようやく手をおろした。

「ワイ、スプリンターやから……ほら、山は苦手やろ。
キツくてつい顔を下げて走ってまうから……
さっきからそうやろ？
地面を見てるやろ？
気づいていたやろ？
だから小野田くん、
うしろから見て、次(つぎ)のカーブが右か左か言うてもらえるか」

坂道と今泉(いまいずみ)は目をまるくした。
巻島(まきしま)は思わず自分のおでこに手をやって目をそむけた。

「そしたら、ワイ、ぜったいにハコガクに追いついたるから!!」

「ゆっくり右！」

すぐに坂道は大声を出した。

それは、なにか悪い予感をふりはらうような大きな声だった。

そして、センターラインの真上を四台の、黄色いジャージの自転車がたて一列にならんで、ぐぐぐと右にゆっくり曲がり始めた。
まわりの歓声がどれだけもり上がっていようが、もう四人の耳には入らなかった。
「五十メートルくらい行ったら左‼」
また、坂道がさけんだ。

鳴子（なるこ）が、

「おるあああああ」

とこたえた。

むしろ、ペースが上がったかもしれない。

鳴子のあとを、坂道、今泉（いまいずみ）、巻島（まきしま）の順でついていく。

「しばらくまっすぐ!!」

坂道の声がひびく。

鳴子は坂道のナビゲートだけがたよりだ。

小野田くん……なんていうか、成長したなァ。

鳴子は、うつむいて、なんとかセンターラインだけを目で追いながら、そう思った。

「大きく、左カーブ!!!」
また坂道の声だけが聞こえる。
それだけがたよりだ。

たのもしなったなァ。

「右!!」

坂道の目じりには、いつの間にか大つぶのなみだがたまっていた。

今泉と巻島はおく歯をかみしめながらこいでいる。

たのむで……総北(ワイら)のゴール。

鳴子（なるこ）は少しニヤっとした。

きたなァ。見えんけど……、

わかるわ。

見えんけどな。

はだで……

この先のカーブに

おる‼

ぐんっ

ぐんぐんぐん

アーム・ストロング・クライムが最後（さいご）の火をふいた。

おる‼

ニカァッ

おるやろ‼

ハァッ　ハァッ　ハァッ

どや？

おるやろ‼

ハァッ　ハァッ　ハァッ

「鳴子くん……見えたよ……」

坂道の目にははっきりと見えた。

青いかげだ。

「いた!!!　先頭、箱根学園だ!!」

その声にふり返る、東堂(とうどう)、福富(ふくとみ)、真波(まなみ)。

鳴子(なるこ)は、

「そのビックリ顔、見たかったわ‼」

とスッと顔をあげた。

赤いピナレロの自転車が、先頭の黄色が、ブルーを視界(しかい)にとらえた。

「鳴子くん‼」

坂道がさけんだ。

「鳴子が———とらえた‼　本当に‼!　箱根学園を‼!」

と、今泉(いまいずみ)が信じられないという顔をした。

鳴子ぉーーー‼

山に入って
スプリンターなのに登りでチームを引っぱって
はでにやって、
魅せて、
今、ハコガクにまで追いついている!!
鳴子!!!
今、オレは心からおまえに言う。おまえは、すごい男だ!!
今泉はすなおにライバル鳴子のすごさをみとめた。

そのときだ、鳴子が頭をガクンと下げた。
プンととまったように見えた。そして、坂道と今泉の間からスローモーションのように
ス――ッとうしろに下がっていった。

鳴子はもうまともにペダルをこげていない。

「えっ。な、な、なるこ……くん!!!」

「鳴子!!!」

二人はうしろをふり返った。赤いかげが小さくなっていく。

とつぜん、すぎた。

鳴子の糸が切れた。

鳴子はうしろのほうにいた。

そして、センターラインを見ながら、まだこいでいた。

さっきまで見えていたセンターラインが、ふっと見えなくなった。

どこや、どこや白いラインは……。

鳴子の首がカクンとうなだれた。

「すまんかったなあ……スカシ……小野田くん……。ワイが言い出したのに……な。いっしょにゴールするっていうやくそく……守れそうに……な、いわ」

自転車は力なくよろめき、減速していった。もう足が動いていない。鳴子は、夢かうつつか、いろんなことを考えようとした。考えようとしたけれど、見えているのか、見えていないのかもわからない。

こいでいるのか、こいでいないのかも、もうわからない。

ハァ……
やっと休めるわ……
もう目もアカン……
足も……
体中、限界(げんかい)や……
ごっつい充実感(じゅうじつかん)や……
けどゴールくらいはこの目で見てみたかったな……

ガシャンッ

大きな音がして、顔から前につんのめるように赤い自転車がたおれた。

鳴子の体は放り出されてコースをはずれ、草地に向かって、ころがり落ちた。鳴子が投げだされた反動で赤い自転車がはでに空にまった。

自転車がどさっと落ちてきて、ころがっていた鳴子の動きもとまったとき、「だいじょうぶか！」と助けようとした観客が集まってきた。落下のしょうげきで鳴子のヘルメットはどこかへふっ飛んでいた。

鳴子は、

ドハアッ　ドハアッ　ドハアッ　ドハアッ　ドハアッ

ドハアッ　ドハアッ　ドハアッ　ドハアッ　ドハアッ

と信じられないほど、肺を大きく動かして息をしていた。大の字でひっくりかえったまま、手足をぴくりとも動かさない。胸だけが動いている。観客たちが顔をのぞきこんだ。熱を持った体からは、急にとまったせいか、あせがざぶざぶと流れ出た。鳴子は大きな口を開けて、ないているような顔をしていた。

かわりにたのむで

スカシ……

小野田くん

ドハアッ　ドハアッ

ドハアッ　ドハアッ

ドハアッ　ドハアッ

ふりかえる……な……

鳴子は心の中でねんじていた。

そして、最後の最後のかすかな力をふりしぼると、右手をゆっくりと青い空にのばした。

「いけ」

そののばした手でなかまの背中をおす仕草をした。

鳴子の目には176番のゼッケンのまぼろしが見えていた。

「総北……」

なにかを言いかけたがそのしゅんかんに、カクッと気を失った。

鳴子章吉。ゼッケン174番。

レース三日目、籠坂峠でリタイア。

第二章 オレは優勝できる

エースはオレです

今泉、

そして、坂道。

目の色が変わった。

「いくぞ、坂道!!」

「うん!!」

同じ日に総北高校自転車競技部に入った一年生トリオ。その一人がいなくなった。

残った二人は、

「おおおおおおおお」

「ああああああああ」

と、うなりをあげて、ペダルをふみこんだ。

ブルージャージがもう前に見えている。

巻島(まきしま)は、

「鳴子(なるこ)――――みごとだ!!」

と、ここまでチームを引っぱった鳴子をたたえた。

やくそく……したやろ。
ホラ……
スカシと三人で
肩(かた)を組んでトップゴールするって……

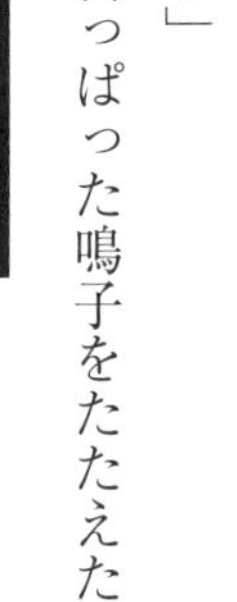

インターハイのスタート直前に話したとき、鳴子が強く言った。
「一年生三人でいっしょにトップゴールしたい」と。

今、その鳴子のねがいが、深く心にきざまれて、きずあとのようにジンジンした。

今泉は、

鳴子……!!

カッコつけすぎなんだよ、バカヤロウ。

その絵空事みたいなやくそく、いちばん守りたかったんだろ、おめェ!!

だったらやってやろうじゃねェか

オレがとってやるよ、トップゴールを!!

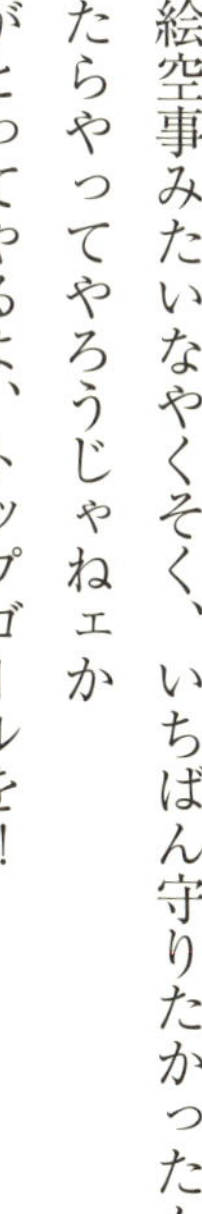

そう自分にちかうと、総北の先頭に立ってスピードをあげた。

三日目の中盤から、ずっとトップを単独走行していた箱根学園を総北がつかまえた。

東堂―福富―真波　に、
今泉―坂道―巻島　が、
ピタリとならんだ。

両チームとも、メンバーは三人にそぎ落とされている。

鳴子の激走のおかげで、ついにブルーの箱根学園と黄色の総北は、このレース、四たび、ならんだのである。

シャ――――

シャ――――

やがて、

「しつこいな。総北……かくじつにちったと思ったが……来たか」

箱根学園の主将・福富がしずかに口を開いた。

「ならば、聞かせてもらおう。失った金城の代わりの……エースはどいつだ!!」

「エースはオレです」

ジッパーを上まで引き上げ、胸元の「総北高校」の文字がはっきりと見えるようにしてから、どうどうとした声で言った。

今泉(いまいずみ)だ。目がギラリと光っている。

い……今泉くんが、総北のエース⁉

坂道はたまげた。

今泉くん……自分で言った……よ……ね。

そのとき、

「よく言ったショ‼　今泉‼」

と巻島(まきしま)が不敵(ふてき)なわらいをうかべた。

坂道は、

「えっ。え……あ、あの、ボクはてっきり、巻島さんが三年生ですし……エースなのかと……‼」

と巻島の顔を見た。

巻島は、

「クハ‼　わかってんのさ、今泉は」

と力強い表情で言った。

坂道にはまるでわからなかった。

「いいか、この先、オレか――、東堂か――、どっちが出てもぜったいにチェックに入る。あいつはオレじゃないととめられないし、オレもあいつじゃねェととめられないショ。おたがい、おそらくつぶしあいになる‼」

「え……！　つぶしあい……‼」

巻島はこの先のレースがどうなるかを坂道に話した。今泉にはこの先のレース展開がわかっているのだ。

「小野田ヨォ、そうなったときに、勝つためには、本当にゴールをねらえるようなヤツを用意しておくひつようがあるのさ!!　うちじゃ、今泉ショォ!!

それが箱根学園の福富ィ!!

重圧――、責任――、

全員の運命せおって、すべての想いを受けとめて、一秒だって一ミリだってひかない。

けど、まさかそいつを自分の口から言うとは思わなかった……できてるってコトだ。

そういうかくごが!!　今泉の顔を見ろ、かくごを決めた顔ショ！」

と巻島は坂道に言った。

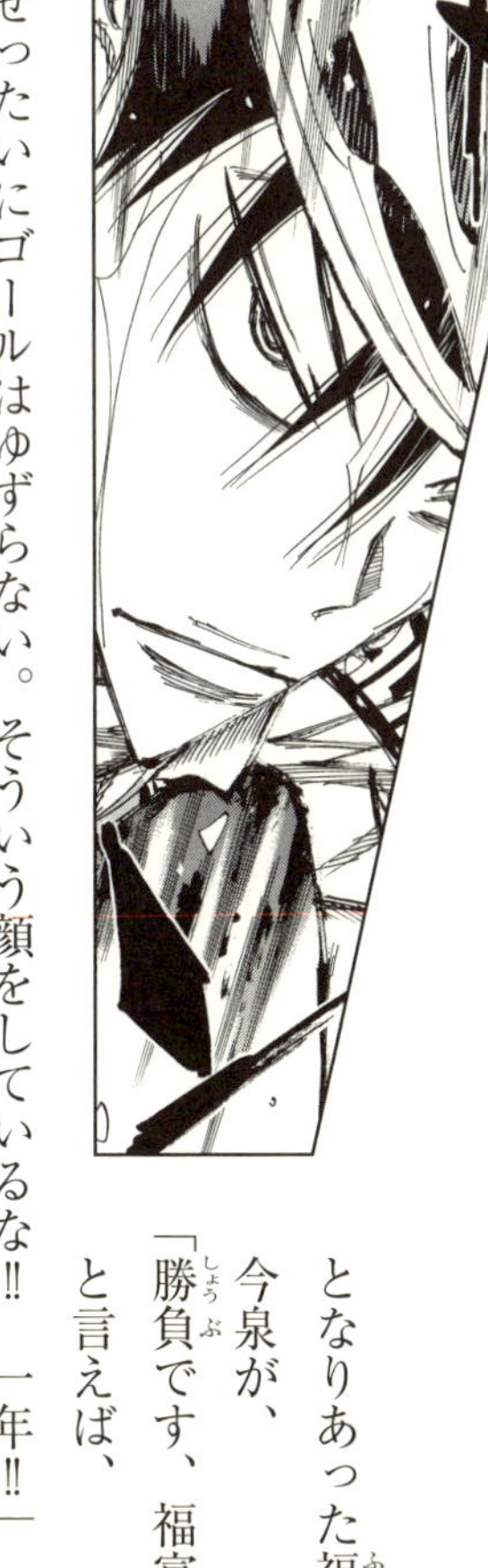

となりあった福富と今泉。

今泉が、

「勝負です、福富さん」

と言えば、

「ぜったいにゴールはゆずらない。そういう顔をしているな!!　一年!!」

「はい!!」


すでに火花がちっていた。

坂道は今泉を見て、あっとうされた。

す……すごい緊張感だ……!!

ビリビリしている。
坂道までつられてビリビリしてきた。

坂道がそうぞうもつかない〝ゴール〟に向かっているのだ。レースはまだまだ先へ、おくへと進んでいく。

福富が、
「ならば……見せてもらおうか。その顔が本物かどうかを!!」
と言った言葉が合図だったかのように、箱根学園がスパートをかけた。

箱根学園は、ここしばらくはずっと自分たちだけで独走状態だったので、バトルはひさびさだ。スーッと山神の東堂が音もなくダンシング。直後に福富、しんがりに一年の真波。一つの生命体のように、なめらかに加速——。

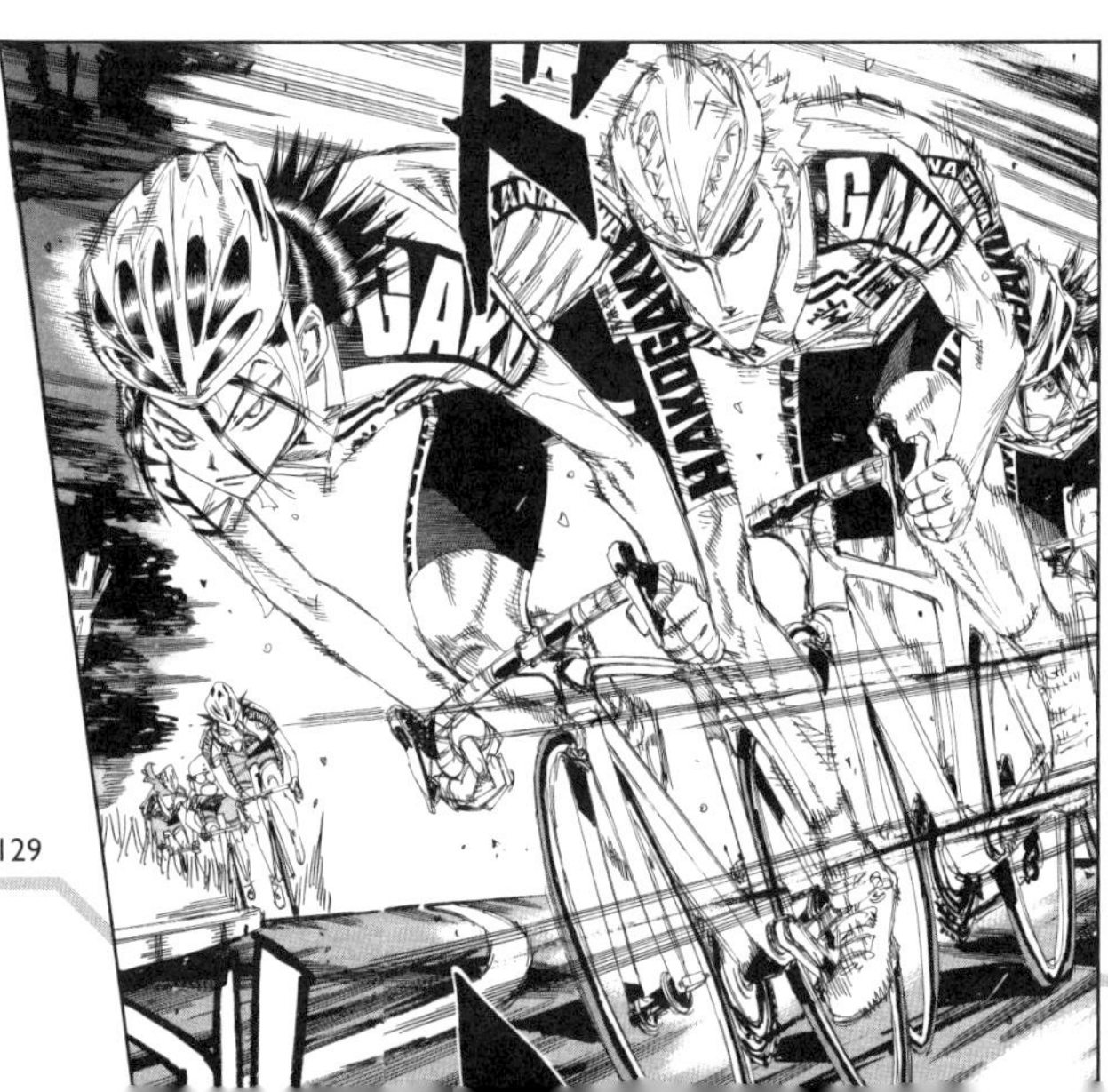

坂道が、
「ハコガク、出ました」
とさけんだ。

「わかってるっショ‼　ついてこい、今泉‼」

ここぞとばかり、総北のとっておきのカード、
巻島が黄色の先頭におどり出た。

「オレがゴールまで引いてやる‼」

「はい‼」

総北高校もダンシングだ。巻島が「スパイダークライム」をくり出す。自転車を左右に
ふり子のようにこうごにかたむけてスイングさせる独自の走法だ。今泉のかくごを見て、
巻島はようやく自分の見せ場だと思った。

金城の
田所の
鳴子の――
オレの‼
オレたちの……‼!

巻島は、

「オレたちの想いがつまったこのジャージ、エースのおまえにまかせるぞ、今泉‼」

とさけんだ。

「はい‼」

今泉もそれにこたえて、声をはりあげた。

ギャアァァァアアアン

三対三、青対黄のバトルで、一気に速度が上がった。

巻島が本気で引っぱる総北。二チームの差が一センチ、また一センチとせばまっていく。

今泉は「いよいよ、始まった！」と思った。

わかっていますよ、巻島さん。

オレがどれだけ重たいもんをせおったか。

今でも重さでふるえて、

食ったものをもどしそうになってる!!

巻島さん、金城さん、田所さん、

鳴子、小野田、全員の――

ジリ、ジリ、と総北がつめよる。いよいよ巻島がブルーの先頭・東堂の真横にならぶと、両チームの編成二台目、今泉と福富のハンドルが、カァン！とぶつかった。あぶない。近づきすぎだ。

二人はにらみあった。

一センチ、また一センチ、今度は巻島が前に出ていく。総北が、巻島がレースのトップに立った。

そのうしろにくっつきながら今泉は

この心の重さは、
今まで回してきた、みんなのペダルの
時間のすべての重さだ!!!

と思った。

シヨォ‼

巻島がいきおいよくさけぶと同時に、東堂の一台分前に出た。総北が箱根学園の前をとった。

とうとう黄色の三台が、青の三台の前に出た。

「どぅおおおおおおおおおお！」

「総北ーーーーーーっ!!!」

「しゅうねんっ!!!」

「ああーー、ハコガクーーーーーーっ!!!」

観客のさまざまな感情がばくはつした。沿道の全員がこぶしをつきあげている。

しまった‼

先頭をまかされていたのに山神・東堂はぬかれてしまったのだ。

すぐさま福富が、
「下がれ東堂‼」
と指示を出した。

自ら前へ出る。こういうときのはんだんが早い。

福富は、馬力を上げると箱根学園の先頭に出るだけでなく、アタックを強くして、
一気に坂道、今泉、巻島と三台をぬいてきた。

「ハコガクーーーッ、キターーーーー!!!」

総北がレースストップをうばったのもつかの間、また、箱根学園がうばい返した。

これが福富の世代第一級のハイスピードだ。レースが生き物のようにはげしく動き始めた。

「エースの人が出ます」

と坂道がいちばんうしろからさけんだ。

福富は自分の心に火をつけた。

一年よ！
意気はわかった。だが走りはどうだ!!
ついてこられるか、一年!!

少しすると、福富の考えているしかけが明らかになった。

福富は総北の前に出ると、それ以上、前に行こうとはせず、速度(そくど)をコントロールした。

そして、ハコガクの三台で、総北の三台を山がわのコンクリートのかべにジリッジリッとよせて、はさんだのだ。


みるみる総北のコースがせばまっていく。


左がわにかべ!!

右にはオレたちのチームだ!!

さぁどうする！

福富がよせていく。

「あ！」

右から追いこまれて、今泉は車線を一台分山がわによせた。しかし、そこはすぐかべ。

ガリガリガリガリ

今泉の左ひじがかべをこすっている。

「チィ」

ひふがすれて、血がにじみ始めた。

オレは強くなる!!

オレはもっと、もっと、もっと強くなるんだ!!

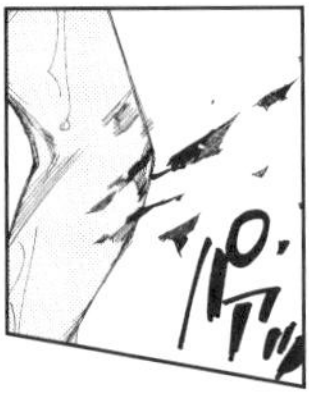

今泉の左ひじが切れて赤い血がパァッと飛び、福富のハンドルに少しついた。

またもやレーストップは箱根学園から総北へ。

今泉はひるまなかった。

ひじをこすりながら、かまわずペダルをふみこんで速度をあげた。せまいところからぬけ出すと、一気に福富の前に出て、すぐさま彼の右がわに出た。

パァッ

むー
まよいのないはんだん――――ギラつき。
トップスピードについてきた走り……
ついてくるどころか前へ出て、オレをおさえた……‼

福富は今泉が、今までとちがうことに気がついた。

「クハ」と巻島がわらった。

「す、すごい、今泉くん」

と坂道がおどろいた。

「なるほど……たんにエースを名乗っているだけではなさそうだな、今泉‼」
福富が今泉の名前を口に出したのは、はじめてのことだった。
「ええ‼」

今泉はキツい目で福富をにらみ返した。

「だが先に言っておく――オレは強い!!」

福富は、金城に何度も言ったセリフを、今泉に向かってはなった。

今泉は、ひたいのあせをスッとぬぐって言った。
「オレはエースです。だから、こえてみせますよ……箱根学園エースの福富さん、あなたを!!」

その顔を見て、福富は思った。
今泉……俊輔……!!
このプレッシャー、もはやあなどれないレベルまできている……!!

最後の切れそうな糸をただつないだだけの「総北」だと思ったが——この男……。

ねむる闘争本能をむき出し、みがき出していく!!

勝利はかくしんを生み、

敗北はかくめいをうながす

レースの結果は進化を造る!!

だが

ときどきいるんだ……

こういうのが。

レース中に……

そのまっ最中に進化をとげる化け物が!!

福富は金城とは闘えなかった。

しかし、今泉との闘いを受け入れた。

福富は一瞬、目を閉じると、カッと開いた。

「いいだろう、王者にどこまでついてくる？　総北!!」

スッとしりがあがった

シャ――――

シャ――――

ゴルフ場を右手に見ながら、青いジャージが三台、黄色いジャージが三台、坂を下る。どちらもゆずらず、すごい速さでコーナーへ入っていく。やがて、正面に、右に曲がれの矢印のかんばんが見えてきた。

右に曲がったとたんに坂道は息(いき)をのんだ。
真正面(まっしょうめん)に、ズバンと三角形の大きな山、富士山(ふじさん)のすがたがあったからだ。
晴れた空に、くっきりとうかぶ〝りょう線〟が美しい。

「お、おおきい！……きれい！」

坂道は思わずつぶやいた。

すぐ右かどには「富士登山道 須走口」という大きなかんばんがあった。

「ひゃー、これを登るのかー」

ここまでも登ってきた。しかし、ここから先は「最後の登り」。静岡県道150号線、通称「ふじあざみライン」だ。最終ゴールまで、残り十五キロ。頂上ゴールをめざす最後の勝負どころにさしかかる。

右におれた自転車はすぐに東富士五湖道路の高架をくぐる。

「わ！」

ちょっとしたトンネルみたいに、夏の強い光が一瞬なくなり、視界が暗くなる。

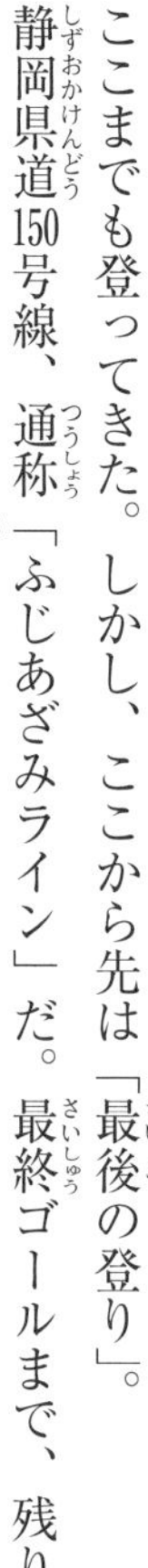

ゴオ――――――――――

音がひびいた。

出口に光のかたまりが見える。そこに向かって六台の自転車がつっこんでいく。

坂道は、もうもどれない異世界へ入っていくような気がした。

「出るとめがくらむぞ、気をつけろ」

と、先頭を行く箱根学園の東堂の声がはんきょうした。

トンネルを出たら、視界がパッとひらけた。両がわにまつの木がうえられ、きれいにほそうされた、かっそうろのような直線道路が見えた。しかし、登り坂だ。

「入ってきたぞ、先頭集団!!」

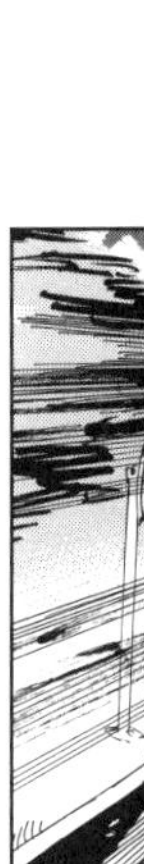

と観客から声があがった。

場所取りをして待ちかまえていた観客が、いっせいに立ち上がった。

福富は作戦をイメージした。

こちらのしかけに一瞬でも反応がおくれれば、総北は重力に引きずりおろされる!!

そうなれば、トップゴールは決してとれない――

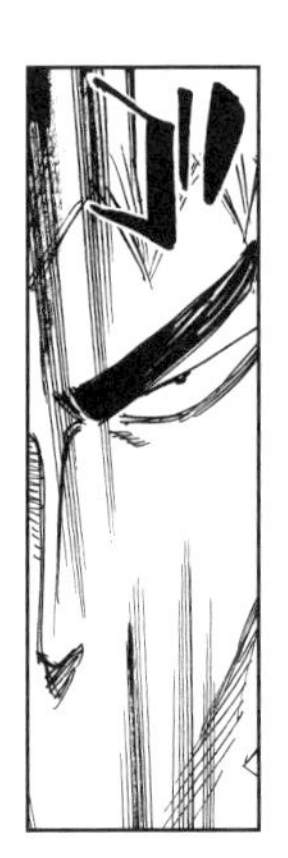

ン？

そのときだった。

黄色いジャージのしりがスッとあがったのが、福富の目のはしに入った。

「あ、え、今泉ぃーー‼」
大声でさけんだのは巻島だ。

今泉が、スルスルっと巻島を追いこした。そればかりか、一気にスパートしたのだ。
「なにっ？　総北から先にしかけるだと！」
と福富がさけんだ。

すべてはふいに起こったできごとだった。

「うおおお、総北が一人飛び出したーーー」

観客が両うでをつきあげた。

「マジか？　マジだーー‼」

「オレ、スパートのしゅんかん、見たぞ！」

「うおおおお‼　総北だーーー‼」

「いっけぇーーーーーー」

れいせいなはずの福富の頭はこんらんした。

アタック‼　ここで⁉　エースが⁉

坂道も
「今泉く……」

と、おどろいた。

それはセオリーにはない作戦だ。どう考えてもタイミングが早すぎる。

福富の気持ちを読んでいたのか、今泉がふり返った。

「オレは福富さんみたいにフェイクはやりませんよ。独走します。そしてゴールします。残り十五キロ！」

はっきりと宣言した。

「とります」

ギラアッとにらみをきかせた。

「本気だ!!」
福富は思わずさけんだ。
むぼうにも、ふじあざみラインに入ると、すぐ今泉が飛び出した。

この今泉の動きは総北(そうほく)にも箱根学園(はこねがくえん)にも、まさかの作戦だ。

ありえない！

みるみる差(さ)が開いていく。

それくらい今泉のスパートのタイミングはばつぐんだった。

「東堂(とうどう)！」

福富がすぐさま指示(しじ)を出す。

「わかってる!!」

東堂はダンシングでスーッと出る。今泉をつかまえるために追う。

「箱根学園(オレたち)を出しぬくなんてことは、させないよ、今泉くん!!」

ところが、その東堂の行く手をかげがふさいだ。出鼻をくじくように一台の自転車がさえぎったのだ。

「なにすんだよ！」

「おまえの相手はオレッショ‼」
「巻ちゃん‼　……なんだと‼　ジャマだ、巻ちゃん‼」

東堂に通せんぼをするように、巻島が自転車をよせて鼻先をキュッとおさえたのだ。スパイダークライムでゆらゆらとはばを取って、東堂を前に行かせない作戦だ。

そのすきに、今泉は小気味よくにげていく。
おもしろいくらいに差がどんどんと開いていく。
これは、今泉の独走状態。よもやの展開。

箱根学園は、だれも追えない。
レースは動いた――。

今泉 VS 福富

「どうなってるんだ？　総北に独走をゆるしてるぞ、ハコガク!!」

沿道の観客がさわぎ始めた。

そもそもは箱根学園が大楽勝で連覇か、というムードでむかえたこの山岳戦だ。

山中湖あたりでは、もうほかが追いつくのは不可能というくらいに引きはなしたと思われた箱根学園だったが、ふじあざみラインに入る前に総北高校に追いつかれた。そして今、目の前では、だれも思ってもみなかった一年生選手、今泉が先頭を走っている。これは予想外だ。

予想外だけに、観客はよりいっそうもりあがる。

その沿道のざわめきやどうようが、選手にもつたわってくる。

福富は心があせらないように、次なる作戦をまとめた。

このままたんどくで富士を五合目まで登りきることは無理——いや、それをやる気か、今泉!!

むむ。

目の前のクライマー東堂は……巻島にたくみにおさえられている。

よし

「オレが出る!!」

エース福富が自らそうさけんで、動いた。ダンシングして、

バァッ

とダッシュして出る。

巻島と東堂がもみ合っているところを、ダァアアアンと大きく外から追いこしていく。

「福富!!」

東堂は背中を見送るしかなかった。

福富は今泉を好きにはさせない。追う。

プレッシャーがかかるところまで、きょりを一メートル、また一メートル、つめていく。

さすが、エースの走りだ。

しかし、ハラワタはにえくりかえっている。

「〝進化をレース中にとげる〟――そんなことを本当にこのレース中に⁉　そのきばをむき、おそいかかろうというのか⁉　箱根学園に‼

このオレに‼」

福富は今泉に問うた。


そのとき、今泉がチラリとふり返った。

今泉は不敵な顔をしている。

ハッ　ハッ　ハァ　ハッ　ハッ　ハァ

突然、

「力の勝負をして勝つのはどういうやつだと思います？」

と福富に向かって聞いた。

フルパワーを出した福富は息（いき）が少しあがっている。

「あ？」

と聞き返した。

「答えはカンタンですよ。強いヤツです」

なんだ……こいつ……‼

オレを上から見おろしている！

「オレは昔から先頭が好きなんですよ……

しずかなんですよ、先頭は……

わかるんです。オレは今、だれよりも強いです」

えらそうな顔。えらそうな口。

だが、目のおくでは自信のほのおが青くもえ上がっていた。

福富はなぜか、ぞくっとした。けおされて、ひるんだ。

そのすきに――

ダァン

またアタック!!

今泉がにげた。つかまえかけた今泉が、またにげる。

ブンブンとペダルをふんでいく。残りのペース配分など頭にないはずだ。また、福富とのきょりが少しずつ開き始めた。

くっ……
あくまで独走(どくそう)にこだわる気か、今泉!!
くっ!!　させん!!

ガァァァァァァァァァァ

今泉が最高速(さいこうそく)をこうしんして、ペースをあげていく。そのペースについていくのは福富ただ一人だ。

ハァ　ハァ　ハァ　ハァ

連続(れんぞく)ダンシングで福富はなんとか、まうしろにはりついた。かげのように今泉のしりに追いついた。

そのとたん、

「後続(こうぞく)とだいぶはなれましたね」

と今泉(いまいずみ)にいなされた。

ハッ　ハッ　ハッ

こいつ……こいつはオレを……

自分を見下しているのではないか、と福富(ふくとみ)が思ったとき、

「だいじょうぶですか？」

と今泉がすずしい声で言ってきた。

福富は思わずふり返った。巻島(まきしま)と東堂(とうどう)が坂の下、うしろのほうに小さく見えている。

ハァ　ハァ　ハァ　ハァ

福富のほうが、今泉よりも息があらい。

「本当にだいじょうぶですか。今からもう一回アタックやりますけど、ついてこれますか？」

‼

なんだと、

オレを力でねじふせる気か？

そのとき、福富のほおをあせが一筋（ひとすじ）、スッとつたわった。

一年生の力

ハア　ハア　ハア　ハア　ハア　ハア　ハア　ハア

ハア　ハア　ハア　ハア

今泉と福富に大きくはなされた山神・東堂と、巻島。ちぎれてなるものかとけんめいにペダルをふんでいる。

「まさか、残り十五キロの最後の登りでいきなりエースが飛び出すなんてーー!!　そうぞうーーしてなかったショ!?　東堂ぉ!!」

巻島が東堂にむかってさけんだ。

「くそっ。はじめから……総北はそういうつもりだったのか巻ちゃん。なんなんだよ、おまえらのチームの作戦は!!!」

「クハ」

巻島はふき出すしかなかった。

そしてパァと手を広げて、もう一度、言った。

「いやぁ!!
オレもそうぞうしてなかったァ!!」

そのとたんに、なぜだか
ますます顔がニヤけてきた。

本当にレースは生き物ショ!
クハッ

「そうぞうなんてできるワケねーのさ!!
考えもつかないからだ!!
残り十五キロもあるのに、ムボーなアタック。
最終日は登りだ。

ましてやインターハイは大事なレースだ。
そう頭にすりこまれている。
オレたち三年ならとくにだ!!」

一年!!
箱根学園になくて、総北にあるもの……それは一年生の力か？

そう東堂は思った。
すぐさま巻島があきれたような声で話し始めた。
「東堂よ、いいか、ふつうはこう考えるんだよ。
〝しんちょう〟になる、と。
そりゃあ、しんちょうになるショ!!
インハイの『レース運び』や『空気感』が、オレたち三年にはわかっているからだ。
思いこんでいたのサ。

大事なレースのラストゴールは、
最後の最後にキメるって!!
オレも、おまえも、……福富もだ!!」

「クソ！　福富!!」

がむしゃらに前へ出ようとする東堂を
巻島が制した。
「行かせないっショオ!!」

そして、さとすように言った。
「わかさってのはさ、いつだって、ぶつかって、しっぱいして、つぶれて、
思いどおりになんねェって、クチャクチャになるモンだ。
けど、万に一回――

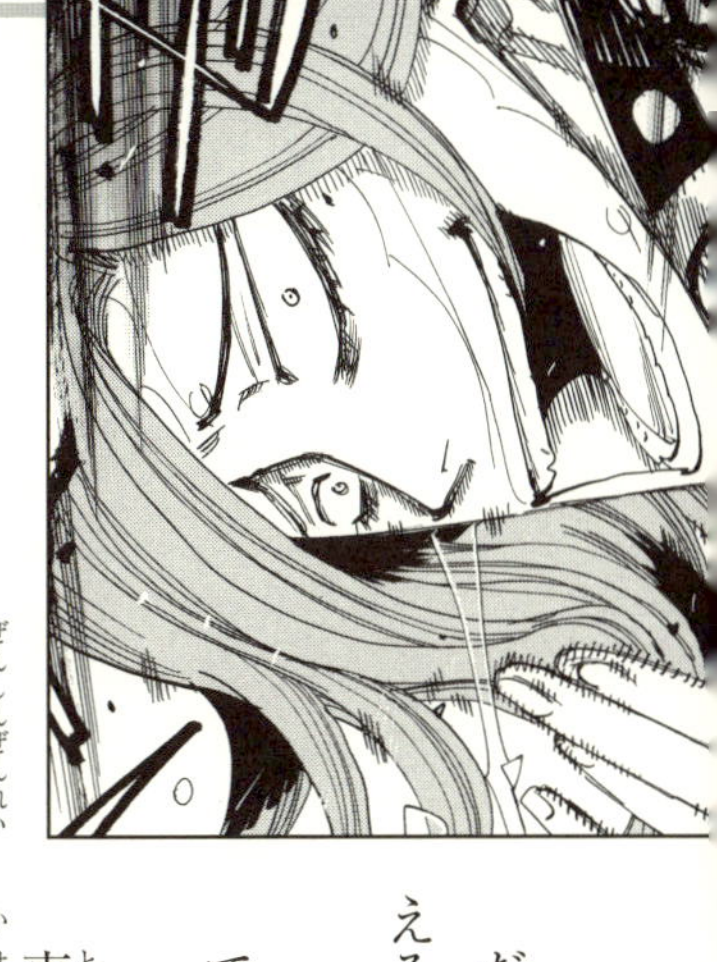

だれもがそうできなかった〝でたらめ〟をやっちまえるもんなんだヨ‼」

でた……らめ‼

東堂の顔が思わずゆがんだ。

東堂の顔が思わずゆがんだ。

加勢するショ‼　今泉‼

「だからオレはァ、全身全霊で東堂をぜったいに行かせねェ‼」

総北が……箱根学園に勝つ……など、万に一回も……あってはならない。

「どけ、ジャマだ、巻ちゃん‼　どけぇ‼　オレは行く‼　どけぇ‼」

先頭は今泉

「え、なんだって!? 聞こえねーよ、もう一回、言ってくれ」

「だーかーらー」

ふじあざみラインの最初の長い直線が終わり、左にカーブしたとちゅうにある砂防ダムのあたり。白いキャップをかぶった大会公式の計測スタッフが無線でしゃべっている。

「いや……今、オレのいるところに二人の先頭が登ってきて、目の前を通過していったんだけど」

「もう一回、言ってくれよ。じょうきょうをちゃんとせつめいしろ」

「王者・箱根学園のゼッケン1番のエースがさ……千葉の総北の一年生に、五十メートル以上、はなされているんだよ!! そんなことって……あるのか?」

今泉は、しずけさの中を走っていた。まるでスローモーションのように走っていた。本当はそうではない。大歓声が、今泉に向けられている。そして、今泉は今、コース上でいちばん速く走っている。ぶっちぎりかけている。

なんだこの感覚——

わかる

「わかる」——

道がどれくらいの斜度で
ギアは何段目をせんたくして
何パーセントのパワーでいけば
どのコースを通れば
もっともこうりつよく進むか
ゴールまで最短か——
自分の進むルートがわかる

予測できるんだ。

道の凸凹や、観客の位置まで、はっきりと上から見てるくらいに、具体的に今から起こることがわかる！　わかる‼

すきをついて、福富が横から、体一つ分、前に飛び出した。

しかし、すぐに今泉がおさえた。

観客はすごいかっさいだ。

「すげぇ反応、総北‼」

「ハコガク、おさえた‼」
「うしろに目ぇ、あんのか、あいつ‼」
しんけいがギリギリまでとぎすまされた感覚って、
こんな感じなのかな……。

ニオイも音も――
ムダなものは一切入ってこない……
やっぱ先頭
すげぇしずかだ‼
キモチイイ……
このキモチよさは、
強くなるキモチよさだ‼
今泉は無心になっていた。

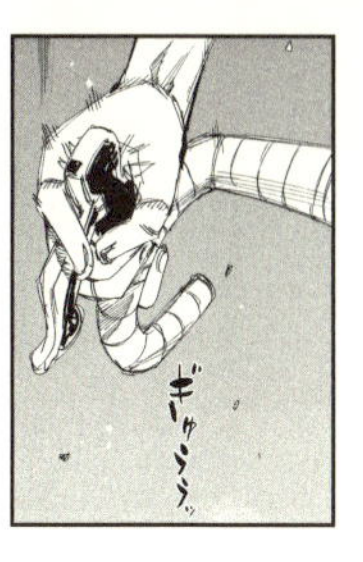

ギ
ギシ
ギシッ

うでも　足も　髪(かみ)も
入れかわっている　数秒単位(すうびょうたんい)で　さいぼうが!!
わかる　オレは　今　成長している!!
福富(ふくとみ)さんよりはるかに　強く!!

勝てる……!!

今、このまま
このじょうきょうが変わらない
のなら

オレは
優勝(ゆうしょう)できる!!

回収車（かいしゅうしゃ）

「はい、回収車（かいしゅうしゃ）、入りますよー。みなさん、下がってくださーい」

テイルランプをピコンピコンさせながら、銀色のバンがコースに入ってきた。

場所は、籠坂峠（かごさかとうげ）。

係員が車からおりると、主人を失い、草とどろでよごれた赤いピナレロの自転車から、前輪（ぜんりん）がはずされた。すぐさま車体は車のやねにさかさまにロープで固定（こてい）される。

係員は無線で話す。

「ハイ、こちら籠坂峠あたりです。ハイ、一名リタイア。174番です。ハイ、選手（せんしゅ）はだいじょうぶ。いしきあります」

そのすぐうしろに、ワゴン車がもう一台来た。

「救護車」と書かれた車がとまって、うしろとびらが開くと、174番の選手が、タンカで運びこまれた。

総北の鳴子章吉だ。横たわったまま、医務室へと運ばれていく。

「車、動きますよー。はい、はなれてくださーい」

係員の声がしたとき、

ハァ　ハァ　ハァ　ハァ　ハァ　ハァ　ハァ　ハァ

ハァ　ハァ　ハァ　ハァ　ハァ　ハァ　ハァ　ハァ

そこへ、レース中の二台の自転車が登ってきた。

同じ係員が、

「選手きますー、沿道のみなさん、道をあけてくださーい。二名、選手きます」

と声をはり上げた。

「選手、来るよー!!」

ハァ　ハァ　ハァ　ハァ　ハァ　ハァ　ハァ

ハァ　ハァ　ハァ　ハァ　ハァ　ハァ　ハァ

むらさき色のジャージの二人が前うしろになって、坂を登ってきた。

と、そのとき、

ガシャン

「えっ！」「キミ、だいじょうぶか!!!」

ちょうど鳴子がたおれたあたりで、突然、一台の自転車が横にたおれたのだ。

「あー」

「落車だ！」

「リタイア？」

「もう一台はそのまま登っていくぞ!!」

「たおれたのは、京都伏見だ！」

ハァ　ハァ　ハァ　ハァ

ハァ　ハァ　ハァ　ハァ

ゲホ　ゲホ　ゲホ　ゲホ

ハァ　ハァ　ハァ　ハァ

たおれた京伏の選手は苦しそうだ。体をくの字におり曲げて、はげしく胸を波打たせている。むらさきのジャージのゼッケン92番ってことは、キャプテン石垣光太郎だ。

「だいじょうぶですか！」

そこにまた人が集まってきた。

「顔色が悪いぞ」

「てか……今、飛び出して行ったむらさきのもう一台、飛ばしてるけど、まさかここからゴールをねらう気か!!」

「91番だった。行っちまったぞ！」

ざわめく観客(かんきゃく)のところへ、鳴子を乗せた救護車(きゅうごしゃ)から一人がおりてきて、すぐにてきぱきと指示(しじ)を出した。

「冷えたタオル、持ってきて！　すぐ！」

「水、持ってこい!!」

「おいっ、はだがどろみたいな色になってるぞ。キミ、だいじょうぶか？　聞こえてるか」

「ジャージをぬがせて!!　くつをぬがせて。おい、タオル、もっと持ってこい」

たおれてのびている石垣は、

み……御堂筋……、たの……んだ……ぞ　オレ……たちの……ジャージを

と、うめいた。

石垣はうつぶせのまま動けない。よく見ると、彼の左右のこしの92番のゼッケンが、右がわだけない。

「もう、握力も残ってへんか……、オレの……自転車……」

石垣は、少しも動けないまま草のにおいをかいだ。少しはなれたところに自分の自転車がたおれているのがぼんやりと見えた。

そのとたんに、なみだがツーとひとすじ流れた。

「終わったんやな……オレの最後のインターハイ……」

ANCHOR

「ありがとう……御堂筋……
おまえがスタート前にもどってきてくれたとき
オレはうれしかったんや……」

石垣はしずかに目を閉じた。

京都伏見高校、ゼッケン92番、石垣光太郎、籠坂峠にてリタイア。

ここは富士の細道や

「とおーりゃんせー……とおーりゃんせー……こーこは富士の細道や〜」

歌いながら登っていくのは、こしに、91番と91番、緑と赤のゼッケンをたてに二枚はった大がらな選手。

緑はスプリント最速の証、赤は山岳最速の証。昨日二日目のレースで、その両方をとったのは、京都伏見高校の御堂筋翔だ。

エースアシストの石垣がリタイアした直後だというのに、とくにどうようも見せずに、マイペースで飛ばしている。

「うっわ、速っええ!!」
「なんだ、すげっ、91番」
「なんだ、あの前傾ダンシング!!」

御堂筋は巨体だ。

バスケットボール部にいてもふしぎでないような身長を二つに折りたたむように、

わざと小さいサイズの自転車にまたがっている御堂筋。むねから上を、ハンドルバーの前につき出すようにして、重心を前にかけるフォーム。頭は前輪をこえて地面につきささりそうなくらいだ。この独特のフォームで、登り坂を加速している。

「キモキモキモキモキモキモキモキモキモキモキモキモキモキモキモ！」

口からはじゅもんのような言葉をぶつぶつとはき出していた。

「あんなぁ、キモォ……石垣くぅん、キモすぎゃわ。

石垣がリタイアする前、二人はともに前を追っていた。

石垣を風よけにして御堂筋が、

「ホラァ、石垣くぅん、カスバエどもが先に行ってしもうたで。ペースあげな、おいてかれるで」と言う。

「わかってる!!」

こん身の力をこめてペダルをふむ石垣に御堂筋はようしゃない。

「もっとやでぇ、石垣くぅん。山の手前まで死ぬ気で引きや。あとはちぎれて、たおれてもうて、かまわんのや。そこまでひっしにがんばりや」

二人はふじあざみラインを登り始めた。

すると、御堂筋は、

「……なに、やっとんの、石垣くぅん。もうええで。キミの役目は山の手前までや。山は引かんでええで。あとはボク一人で十分や」

と石垣を制した。

しかし、石垣は道をゆずらない。

「なに、ププ、元エースのプライドォ？　ププ、そういうのすてな言うたやろ。カッコイイとでも思とんの？」

石垣はれいせいだ。

「ああ、すてた。昨日までは正直、オレは『元エース』やと思っとった。けど、ゴール前、おまえと二人で走って考えが変わった。今、このプライドはアシストとしてのプライドや。だから、オレを使えないと思ったら、すぐに切りはなせ!!　それまではオレが全力で引く！」

御堂筋は

「キモォ、プライドなんて、くだらない」

とたてついた。

「オレは雑念も多い。負けたら言いわけするし、昔のことによくこだわっとる。実力も全国じゃ、とるにたりん。けど、今、オレはこのインハイを、こんな上位で走っとる。おまえが引っぱってきてくれたおかげや。オレはおまえにかえられたんや。強さ、ひらめき、適応力、なにがあっても前進する、そのじゅんすいさに!!」

石垣は心の底から、そう思った。

だから、一つおねがいした。

リタイア前に自分で92番のゼッケンを一枚、べりべりはがし、

『御堂筋!! こいつはオレの魂だ。ゴールまでいっしょに持っていってくれるか!!』

と御堂筋にわたそうとした。

でも、御堂筋は受け取らなかった。

御堂筋はそのことを思い出していた。

石垣くん。なんやそれ。
キモいわ。
なにが『オレの三年間がつまったゼッケンや!!』やねん。
よういわんわ。
いややキモイ、
とユーたったわ。そしたら、
なにが『それでこそ御堂筋や!!』やねん。キモ。

籠坂峠のピークをこえると、いったん下りだ。
ゴルフコースを右手に見ながら、ジェットコースターのようないきおいで加速していく。

「あんなぁ、石垣くん、
ロードレースはすべてをけずって、最速を競う闘いや。
くだらない布キレ一枚さえも、いらん重量物や。不要や。

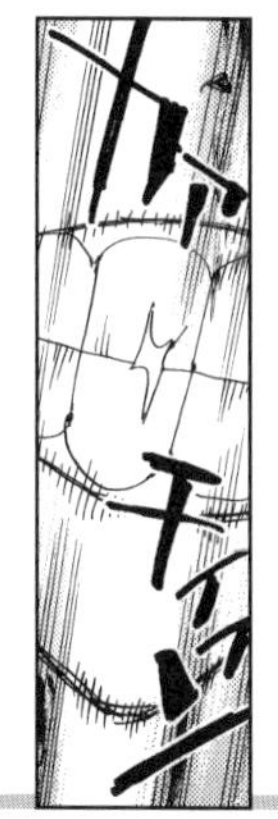

ボクがほしいのは、勝利、ただ一つや!!」

そう言いながら右にカーブを切ったとき、ふじあざみラインの入口にたどり着いた。「富士登山道 須走口」と書かれた大きなかんばんを曲がると、でかい富士山が、御堂筋からまっすぐ前に見えた。

先頭からおくれること……どれくらいや？

まあ、なんでもええわ。ようはあいつらのすがたが見えたらええんやろ。


「むらさきが来たーーーっ」

東富士自動車道の高架のトンネルの先で待っていた観客が目にしたものはむらさきのジャージの御堂筋だった。

箱根学園のブルー、総北高校の黄色を見送った観客が、三つ目の色を見て、大きな声をあげて手をふった。

「おお、京都伏見だ。来たぞ。前を追う気か‼」

「いけるの？　いやぁ……これだけ前からはなれると、さすがに無理だろ」

「がんばれよー」

その声が御堂筋の耳に聞こえてきた。

御堂筋はれいせいだった。

「ププ。無理やて？　できるわ！

なんぴとたりともボクの前は走らせんよ、かんたんや……。

しょせんは、あいつらは、ザクレベルや」

そう言うと、長いしたをのばしてベロンとゆらして、富士山（ふじさん）の登り坂をかたづけにかかった。

（続く）

これでキミも自転車通！

013

自転車ロードレースの観戦。どうやったら見られるか、そのポイントをしょうかいしよう！

自転車ロードレースは日本でもたくさん行われているよ。坂道たちのインターハイでもたくさんの観客が応援しているけれど、みんなどこから来ているのだろう？　お金はかかるのかな？

①観戦はタダ!!

レースはふつうの道で行われるので、観戦は無料!!　好きなときに、好きな場所で観戦することができるよ。

②選手に近い!!

ゴール前やスタート地点以外は、とくにさくなどないので、選手をかなり近くで見ることができるよ。だからといって、選手にさわったり、コースをふさいだり、じゃまをしてはダメだよ。

③サインがもらえるかも！

スタート前やゴール後、選手がうろうろしていたらチャンス。サインをもらえたり、あくしゅができたりするよ。

④見るなら山で！

山の登りは速度（そくど）が落ちるので、平坦（へいたん）よりも長い間、選手を応援できるよ。

⑤テレビで観（み）る

スポーツ専用（せんよう）チャンネルなどで大きなレースがたのしめるよ。かいせつもあるから、勉強になるね。

インターハイラストステージ

富士山（ふじさん）

富士山（ふじさん）は五合目まで車で行ける道が三つある。その中の③の「ふじあざみライン」を選手たちが疾走（しっそう）したんだよ。

▲ 上の写真は、本文144ページで東堂（とうどう）が先頭を切って入る、「ふじあざみライン」の入口だよ。

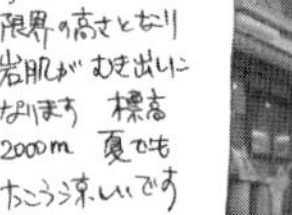

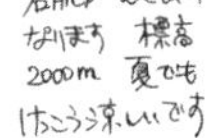

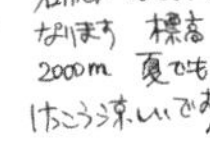

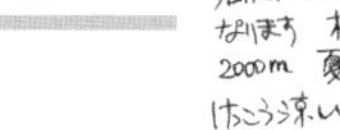

[原作者]

渡辺 航（わたなべ　わたる）

漫画家。長崎県出身。MTBやロードバイクなど自転車をこよなく愛し、『弱虫ペダル』の連載を続けながら、多くのアマチュア自転車レースに参戦している。

[ノベライズ]

輔老 心（すけたけ　しん）

ライター。兵庫県出身。『スーパーパティシエ物語』『いやし犬まるこ』（いずれも岩崎書店）、絵本『はなげ小学生』（絵・塚本やすし／小学館）など著書多数。

AD 山田 武　　協力 渡邊まゆみ

編集協力 秋田書店

フォア文庫

小説（しょうせつ） 弱虫（よわむし）ペダル13

2023年10月31日　第1刷発行

原作者　渡辺 航
ノベライズ　輔老 心
発行者　小松崎敬子
発行所　株式会社 岩崎書店
〒112-0005 東京都文京区水道1-9-2
電話　03-3812-9131（営業）　03-3813-5526（編集）
00170-5-96822（振替）
印刷・製本所　三美印刷株式会社

ISBN978-4-265-06583-7　NDC913　173×113

Published by IWASAKI Publishing Co.,Ltd.
Printed in Japan

岩崎書店ホームページ　https://www.iwasakishoten.co.jp
ご意見をお寄せください　info@iwasakishoten.co.jp
乱丁本・落丁本はお取り替えします。